S0-BZW-789

성서와 인간 1

상처와 용서

송봉모 지음

The Bible and the Human 1 :
The Wound and the Forgiveness
Pauline, Seoul / Korea, 1998

성서와 인간 1

차례

상처와 용서

상처와 용서[1]

형제들이여, 우리 서로 가까이 다가앉자.
우리를 떼어놓는 모든 것을 잊어버리자.
적이란 존재치 않는 것.
이 세상에는 다만 불행하고
불쌍한 사람들만이 존재하는 것.
우리가 계속 가질 수 있는 행복,
유일한 행복이 이 세상에 있다면
그것은 우리가 서로를 이해하면서
사랑하는 것뿐이다.

- 로맹 롤랑 -

---

1. 이 글은 필자가 사목자로, 고통을 겪는 많은 사람들의 영적 상담을 하면서 그들이 관계 개선이나 상처를 치유해 주는 데 도움이 되는 심리적 지식이 너무나 부족함을 느껴 그들을 돕기 위해 준비한 글이다. 필자가 심리치료나 정신치료를 전공한 사람이 아니기에 전문성은 결여되어 있겠지만, 이 글은 그분들에게 사목적 도움을 주고자 쓴 글임을 밝힌다. 이러한 글을 쓸 수 있을 만큼 필자에게 심리세계와 무의식세계에 대한 관심과 깊은 이해를 갖도록 이끌어 주신 분들은 상당히 많지만 특별히 고마움을 표현하고픈 분은 정신분석학을 전공한 김성호 신부, 사목심리학을 전공한 채준호 신부, 상담심리를 전공한 파도바니 신부이다.

머리말

왜 어려운 상황에 있을 때 친밀한 관계가 악화되는가?

참으로 짧고 귀한 인생길을 걸어가면서 서로가 서로에게 도움이 되는 관계, 위로가 되는 관계를 우리는 얼마나 원하고 있는가. 그러나 삶이 어려워지고 그 어느 때보다도 위로가 절실히 필요할 때 서로가 서로에게 힘이 되기보다는 서로 미워하고 짐이 되고 때로는 관계가 단절로까지 악화되는 것은 무슨 이유 때문일까? 놀랍게도 부부 사이가 악화되는 것은 그들의 가정이 어려움을 겪고 있을 때인 경우가 많다. 사업에 실패하고 파산하여 경제적 어려움을 겪고 있는 부부나, 자식을 교통사고로 잃고 아파하는 부부들이 이혼하는 경우가 드물지 않다. 가장 위로가 필요한 순간에 서로가 서로에게 위로가 되기보다는 상처를 주다가 파경에 이르게 되는 이유는 무엇인가? 어느 컬럼니스트는 다음과 같이 말한다. 첫째 이렇게 큰 불행을 당한 마당에 이혼을 주저할 이유가 어디 있겠는가 하는 파괴적 심정에서, 둘째 그 동안 부부간에 갈등을 겪으면서 살아오던 중 큰 불행을 당하자 그 불행을 상대방의 탓으로 돌리고 계속해서 상대를 원망함으로써.[1]

왜 모든 일이 잘되어 갈 때에도 친밀한 관계가 악화되는가?

삶이 어려워질 때 관계가 소원해지는 것은 이해가 되지만, 모든 일이 잘되어 나가는 행복한 상황에서 관계가 악화되는 것은 무슨 까닭일까? 예를 들어 자기를 아껴주고 이해해 주는 상대방을 만나 행복한 나날을 보내면서도 평화를 잃어버리고 상대방과 충돌하는 경우가 있다. 지난날 누군가에게 버림받은 체험이 있

---

1. 미주판 한국일보 1995년 9월 12일자 장명수 칼럼에서.

는 사람은 지금의 상대방으로부터도 버림받지 않을까, 자기가 상대방에게 부족하지는 않을까, 자신도 모르게 불안해하고 염려할 수 있다. 이렇게 불안해하고 염려하다 보면 마음의 평화는 깨어지고 별것 아닌 것 갖고도 상대방이 나를 더이상 사랑하지 않는다고 의심하고 다투게 된다. 이것은 치유되지 않은 상처의 파괴력이다. 과거의 응어리진 상처, 치유되지 않은 상처는 언제든 기회가 되면 마음의 표면 위로 떠올라 행복한 오늘의 기쁨을 앗아갈 수 있다.

우리가 살면서 상처를 주지도 받지도 않을 수 있다면 좋겠지만 그러한 세상은 없다. 그러니 적어도 내 편에서 다른 이에게 상처를 덜 주고, 다른 이로부터 상처를 덜 받을 수 있는 길이 있다면 그러한 길을 부단히 개척해야 할 것이다. 특별히 치유되지 않은 지난날의 상처가 오늘을 살아가는 나의 삶에 파괴적 영향을 주지 않도록 상처에 대한 정성어린 돌봄이 있어야겠다. 또 치유하시는 주님께 도움을 청해야 할 것이다. 예수께서는 병자를 고쳐주신 다음 네 병이 나았다는 말을 하는 대신 네가 구원되었다는 말을 자주 하셨다. 이 점에서 구원은 곧 치유의 과정이다. 그럼 구원받은 인간이 되기 위해서 '상처와 용서'에 대해 생각해 보기로 하자.

1

용서, 세상에서 제일 하기 어려운 일

세상에서 제일 하기 어려운 것 두 가지를 들라면, 그것은 죄를 안 짓는 것과 내게 상처준 사람을 용서하는 일일 것이다. 죄를 짓지 않는다는 것은 얼마나 어려운가? 인간이 육신을 지니고 있는 한 죄를 짓지 않을 수 없다. 인간은 흙으로 빚어졌기에 쉽사리 부서지는 존재이다. 우리가 새롭게 시작하고 싶은 마음으로 하느님 앞에 고해성사를 보지만, 어느 고해신부도 다시는 죄짓지 말라고 얘기하지는 않는다.

죄를 안 짓는 것만큼이나 어려운 것은 용서하는 일이다. 우리 모두는 체험을 통하여 용서한다는 것이 얼마나 어려운 일인지 알고 있다.

인간이 아닌 다른 피조물들은 자연 그대로 살다가 아무 원한도 남기지 않고 사라지는데 인간만은 그렇지 못하다. 용서할 수 없는 상처를 가슴에 안고 살다가 그 한을 그대로 안고 죽어간다. 이런 얘기가 있다.

어느 도시에 경쟁관계에 있던 장사꾼 두 사람이 있었다. 두 사람의 가게는 서로 마주보고 있었다. 이들은 아침에 눈 뜨고 일어나 밤에 잠들 때까지 어떻게 하면 상대방을 망하게 할까 하는 데만 신경을 썼다. 보다 못한 하느님께서 어느날 천사를 한쪽 상인에게 보내셨다. 두 사람을 화해시키려고 천사는 이런 제안을 하였다. "하느님께서 그대에게 큰 선물을 내릴 것이오. 그대가 재물을 원하면 재물을, 장수를 원하면 장수를, 자녀를 원하면 자녀를 줄 것이오. 단 조건이 하나 있소." 천사는 잠시 말을 멈춘 다음 말을 계속했다. "그대가 무엇을 원하든 그대 경쟁자는 두 배를 얻게 될 것이오. 그대가 금화

10개를 원하면 그는 금화 20개를 얻게 될 것이오."라고 말하였다. 천사가 미소를 지으면서, "이제는 화해하시오. 하느님은 이런 방법으로 그대에게 교훈을 주려는 것이오." 하고 말하였다. 천사의 말을 들은 상인은 한참 생각하더니, "제가 무엇을 바라든지 다 그렇게 이뤄진다는 말씀이지요?" 하고 물었다. 천사가 그렇다고 하자 상인은 크게 숨을 쉬고는 결심한 듯이 말하였다. "그럼 제 한쪽 눈을 멀게 해주십시오."[1]

용서한다는 것은 쉽지 않은 일이다. 사소한 잘못을 저지른 사람을 용서하려 해도 '나'를 버리기 전에는 힘든데, 하물며 내게 끊임없이 상처를 주는 사람, 나를 미워하고 괴롭히는 사람, 나에게 원수가 된 사람을 용서한다는 것은 결코 쉬운 일이 아니다. '나'라는 자아를 철저

---

1. W.R. White, 「진짜 이야기를 찾아서」(서울 : 성바오로출판사, 1993), pp. 127－128.

히 죽이지 않는 한 불가능한 것이다.

용서 못 한다는 것은 마음이 오그라졌다는 것이다. 달마 대사는 "마음, 마음, 마음이여, 참으로 알 수 없구나. 너그러울 때는 온 세상을 다 받아들이다가도 한번 옹졸해지면 바늘 하나 꽂을 자리가 없으니."라고 한탄을 했다. 용서 못 한다는 것은 마음이 옹졸해졌다는 것이다. 마음이 옹졸해진 것은 옹졸해지고 싶어서 옹졸해진 것이 아니라 상처를 받으면서 오그라진 탓이다. 우리가 용서하기 어려운 사람 중 대다수는 한때 얼마나 우리와 다정한 사이였던가! 상처는 친밀감을 먹고 산다고,[2] 한때 다정했던 사람, 신뢰했던 사람이 상처를 주었기에 이제는 바늘조차 꽂을 수 없을 만큼 마음이 오그라든 것이다.

어느 잡지에서 신년 특집으로 유명 인사 몇

---

2. "성냄과 분노는 본시 친밀함 위에서 자라고 번성한다."란 말은 심리분석학자인 Willard Gaylin이 한 말이다.

사람에게 새해 소망을 물으면서 한 가지 이상한 질문을 하였다. 그것은 새해에 제발 죽어주었으면 하는 사람이 누구인가 하는 것이었다. 어떻게 이런 질문을 할 수 있을까 놀랍기도 하지만, 생각해 보면 우리 마음을 가장 솔직히 드러내는 질문일 것이다. 인간 심보 안에는 은근히 죽어주었으면 하는 원수들이 있다.[3] 내게 상처를 안겨준 원수를 미워하고 증오하는 가운데서 부정적 감정이 가장 극단적으로 표현된 것이 상대방이 죽기를 바라는 것이다.

3. 박아청, 「그대, 나의 어디쯤 있는가」(서울 : 바오로딸, 1994), p. 135.

2

그래도 하느님은 용서하기를 원하신다

용서란 그토록 어려운 것이라는 것을 잘 알면서도 수많은 성인들이 용서를 강조한 것은 무엇 때문일까? 그리고 필자 역시 용서한다는 것이 쉽지 않다는 것을 알면서도 이런 글을 쓰고 있는 것은 무엇 때문인가? 그것은 용서는 주님의 지상 명령이기 때문이다. 용서란 그리스도인들이 분명히 알고 실행해야 할 가르침이기 때문이다.

날마다 우리는 '주님의 기도'를 외우며 용서하며 살아가기로 결심한다. "오늘 저희에게 잘못한 이를 저희가 용서하오니 저희 죄를 용서하시고…." 주님 앞에서 서로 용서하며 살겠다는 결심이 담겨 있는 이 기도는 그저 입으로만 암송하면 끝나는 기도가 아니다. 예수님께서 주님의 기도를 통해서 우리에게 가르쳐 주신 용서 사상은 하느님 아버지께서 구약성서를 통해서 강조하신 용서 정신과 일치한다. 집회서 27, 30—28, 7에는 "이웃의 잘못을 용서해 주어라. 그러면 네가 기도할 때에 네 죄도 사해질 것이다. 자기 이웃에 분노를 품고 있는 자가 어떻게 주님의 용서를 (느낄 수 있으랴!) 기대할 수 있으랴."라는 내용의 말이 나온다. 하느님이나 주 예수 그리스도께서 강조하시는 것은 이웃을 향한 우리의 용서가 선행되어야 우리를 위해 주어진 하느님의 용서를 체험할 수 있다는 것이다.

용서에 관한 하느님 아버지와 구세주 예수의 가르침은 절대적이다. '만약' 이라든가, '하지만' 이라든가 하는 핑계가 들어설 자리가 없다. 또 '상대가 준비가 되면' 이란 식의 조건도 붙지 않는다.[1] 예수님은 우리에게 일흔일곱 번씩 일곱 번 용서하라고 명하였다. 일흔일곱 번씩 일곱 번이란 무조건 용서하라는 것이다. 성서 숫자에서 일곱은 완전수이다. 일흔일곱 번에다 곱하기 일곱을 하는 것이니, 이는 절대적

---

1. 위에서 언급하듯이, 우리를 향한 하느님의 용서 요구는 무조건적이라 하였는데, 하느님 자신도 우리를 무조건적으로 용서하는가 하는 의문이 '주님의 기도'와 관계해서 나올 수 있다. '주님의 기도'에서 "오늘 저희에게 잘못한 이를 저희가 용서하오니 저희 죄를 용서하시고"라 기도하는데, 이는 조건적인 것이 아닌가? 우리에게 잘못한 이를 용서하느냐 안 하느냐에 따라 하느님도 우리를 용서할 수도, 용서 안 할 수도 있다면, 하느님의 용서는 조건적인 것이다. 하느님이 우리 인간에게는 절대적인 용서를 요구하시면서, 당신이 우리 인간을 용서하실 때에는 조건적이라면 불공평하다. 하지만 '주님의 기도'의 용서에 대한 요구를 조건적으로 보는 것은 틀린 해석이다. 실상 '주님의 기도'에는 조건적 구문이 없다. '한다면'이라는 조건부가 없다. '같이'란 말만 있을 뿐이다. '같이'와 '한다면'은 다른 말이다. '주님의 기도'에서 "오늘 저희에게 잘못한 이를 저희가 용서하오니 저희 죄를 용서하시고"의 "하오니"는 용서를 하겠다는 우리의 결심을 가리키는 말이다. 무조건 우리를 용서하시는 하느님 사랑을 알고 있기에 우리도 무조건 용서하겠다는 것을 강조하는 말이다. 그러니 이 기도문을 좀더 알기 쉽게 표현하면 다음과 같을 것이다. "오늘 하느님 아버지께서 우리를 용서하듯이, 저희에게 잘못한 이를 저희도 용서하게 하옵시고…."

인 완전수를 가리킨다.

예수께서 우리에게 무조건 용서하라고 하신 근거는 당신 자신이 우리를 무조건 용서했기 때문이다.

스페인 어느 수도원 성당 고해소 위에 달려 있는 십자가의 예수님은 오른팔이 축 늘어져 있다. 그 사연은 다음과 같다.

오래전 이 고해소에 어느 신자가 와서 엄청난 죄를 고백하였는데, 이때 신부는 다른 죄는 다 용서할 수 있어도 그 죄만은 용서할 수 없다고 말하였다. 바로 그때 고해소 위에 걸려 있던 십자가에서 예수님의 오른팔이 움직이면서 그 신자의 죄를 무조건 용서하라는 뜻으로 십자를 그었다고 한다. 그후부터 이 십자가의 예수님 오른팔이 늘어져 있다는 것이다.

하느님과 예수께서 우리에게 무조건 용서하라고 하시는 까닭은 무엇일까? 하느님의 나라는 용서의 나라이고, 하느님 나라의 통치방식은 용서로써 이루어지기 때문이다. 이 점은 구원사업의 정점이었던 십자가 사건에서 잘 드

러난다.

십자가 위에서 피를 흘리며 죽어가던 예수께서는 하느님께 용서의 기도를 청한다. 예수께서 하신 기도, "아버지, 저 사람들을 용서하여 주십시오. 그들은 자기가 하는 일을 모르고 있습니다."(루가 23, 34)

여기서 '그들'은 누구인가? 이들은 유다, 최고법정, 그리고 빌라도이다. 유다는 배반하여 스승 예수를 팔아넘겼고, 최고법정은 자국의 동포들을 보호해야 할 책임을 지녔음에도 불구하고 예수를 식민 통치자인 빌라도에게 넘겨 배반하였고, 빌라도는 로마제국법에 따라 정의와 공평 속에서 예수의 무죄를 선언해야 했건만 폭동이 일어날 것을 두려워하여 예수를 처형하도록 병사들에게 넘김으로써 배반하였다.

예수께서는 십자가 위에서 하느님 아버지께 당신을 배반한 자들, 당신의 죽으심에 결정적 영향을 미친 이들을 용서해 주기를 청하셨다. 하늘 나라의 왕이신 주님께서 하늘 나라에 들어가시기 전에 무조건적인 용서를 베푸시는 것이다.

용서의 왕이신 주님께서는 당신 오른편에 매달린 사형수에게도 용서를 베푸신다. "오늘 네가 정녕 나와 함께 낙원에 들어가게 될 것이다."(루가 23,43) 살아 생전 좋은 일이라고는 해본 적이 없는, 그래서 십자가 위에서 비참하게 죽임을 당할 수밖에 없는 사형수에게 예수께서는 무조건 용서를 베푸시는 것이다.

십자가에 달리신 주님께서 보여주신 이 사건들은 하느님의 왕국이 어떤 곳인지를 분명하게 드러내 보인다. 곧 하느님 나라는 용서의 나라요, 그 나라의 통치 방식은 용서인 것이다. 우리는 하늘 나라의 시민들이기에 용서의 나라 시민들이다. 그런데 용서의 왕국의 시민권자가 되어 살아가는 우리는 과연 용서하며 살아가고 있는지? 우리가 진정으로 하늘 나라 시민이기를 원한다면, 우리에게 잘못한 이웃과 원수들을 용서할 수 있어야 할 것이다.

주님께서 요구하신 절대적 용서를 살아간

이들, 곧 용서의 왕을 그대로 본받아 살아간 이들은 우리가 용서를 하며 살아가는 데 큰 힘이 되어준다.

아기 예수님의 거룩한 탄생을 기념하고 나서 바로 다음날 기억하는 성인은 스테파노 성인이다. 왜 하필 스테파노를 성탄 다음날 기념하는 것일까? 스테파노는 자기를 돌로 쳐죽이는 이들을 위해 주님께 용서를 빌면서 순교하였다. 또 용서의 주님을 본받은 이가 있으니 토머스 모어이다. 그는 자기 목을 자르는 이를 위로하며 말하기를 "여보게, 날 죽이는 것을 언짢게 생각지 말게나. 우리 모두는 다 천국에서 기쁜 마음으로 만날 것이니."

이렇게 용서를 살아간 구체적 인물을 본받는 것은 용서하려는 우리에게 큰 위로가 된다. 저들도 용서했는데, 내가 용서 못 할 이유가 무엇인가?

언젠가 신문에서 다음과 같은 기사를 읽었다. 살인죄를 저지르고도 10년 넘게 잡히지 않고 살아온 자가 자수하였다. 경찰은 그를 의심하지도 않았었는데 스스로 자기 죄를 고백한 것이다. 그가 자수한 것은, 자기가 죽인 할머니의 마지막 기도 때문이었다고 했다. 할머니는 돈을 빼앗고 자기를 죽이려는 강도에게는 뭐라고 한마디 말도 하지 않고 오로지 주님께만 "주님, 제가 지금 당신께 갑니다."라고 여러 번 외쳤다고 했다. 할머니의 그 마지막 말이 그 살인자의 마음을 지난 10년간 괴롭히다가 끝내 자수하게 만들었던 것이다.

오늘날은 전문가가 존중받는 시대다. 하느님의 전문은 용서이다. 우리가 용서의 전문가인 하느님을 존중하고, 그분의 용서를 받으면서 살아가기 위하여는 우리에게 잘못한 이들을 용서할 수 있어야 한다. '평화의 기도'를 하신 프란치스코 성인처럼 용서의 도구가 되어 살아가야 한다.

주여 나를 평화의 도구로 써주소서.
미움이 있는 곳에 사랑을
다툼이 있는 곳에 용서를

분열이 있는 곳에 일치를

의혹이 있는 곳에 신앙을

그릇됨이 있는 곳에 진리를

. . . .

3
용서는 우리 자신을 위한 길

1. 용서하지 않으면 안 되는 첫째 이유는 용서는 우리 자신을 위한 것이기 때문이다.

우리는 종종 “도저히 용서할 수가 없다.” “용서해야 된다는 것은 알고 있지만 용서할 마음이 생기지 않는다.”라는 말을 하고 또 듣는다. 용서하기가 얼마나 힘들면 이러겠는가? 설사 나에게 상처를 준 그 사람이 자신의 잘못을 인정하고 행실을 고친다 해도 마음이 그 용서를 받아들이기가 쉽지 않다. 더군다나 상대가 조금도 뉘우치는 마음이 없을 때는 용서하고 싶은 마음이 들었다가도 재빨리 사라진다.

용서의 하느님을 믿는 사람으로서 신앙의 요구 앞에서 용서하고 싶지만 실제로 우리 마음 안에 쌓여가는 것은 화·분노·적개심뿐이다.

하지만 용서는 우리 자신을 위한 것이다. 용서는 상대방이 뉘우쳤기 때문에 하는 것이 아니다. 도저히 용서할 수 없는 분노·화·적개심 때문에 용서하는 것이다.

부정적인 감정들이 가득차게 되면 무엇보다도 우리 몸이 견디지를 못 한다. 열이 나고, 가슴이 답답해지고, 심장이 아프고, 소화가 안 되고, 잠을 이룰 수 없고, 안절부절못하고… . 가슴에 가득차 있는 적개심·분노·화는 우리의 몸과 영혼을 죽이는 독소들이다. 이러한 독소들이 밖으로 나가지 못하고 우리 안에 차곡차곡 쌓여가는데 어찌 견딜 수 있겠는가? 화병이란 무엇인가? 정신의학에서 말하는 화병, 울화병은 화날 일이 전혀 없는 상황에서도 가슴에 화가 부글부글 끓고 신체에 이상이 생기는 병이다. 남대문에서 뺨 맞고 한강에서 화풀이한다고, 우리가 가슴에 쌓인 분노를 올바른 방법으로 풀어내지 못하면 엉뚱한 곳에다 화를 내게 된다. 설거지하다가 애꿎은 그릇을 내던진다거나, 강아지를 발길로 찬다든가, 내게 상처를 준 사람이나 사건을 머리에 떠올린 순간 화가 나서 욕을 해대는 것 등이다.

우스갯소리 같지만 오래 살기 위해서라도 용서를 하여야 한다. 화를 많이 내면 심장에 좋지 않으며 생명을 단축할 수도 있다는 연구결과가 나왔다. 하버드 대학의 미틀만 박사의 연구에 따르면 화를 자주 내는 사람들이 그렇지 않은 사람들에 비해 심장마비를 일으킬 위험이 두 배나 높다고 한다. 또 듀크 대학의 레드퍼드 윌리엄스 박사는 100여 명의 변호사를 택하여 화와 생명단축과의 관계를 조사하였는데, 그에 따르면 학창시절 화를 잘 낸 변호사들은 비교적 화를 안 낸 변호사들과 비교해서 50대의 사망률이 무려 다섯 배나 높았다고 한다.[1]

---

1. 1995년 10월 4일자「한국일보」'건강상식'.

내가 상처받은 것도 억울한데 화병에 걸려서 심장마비로 쓰러지고, 암에 걸리고, 그래서 일찍 죽는다면 얼마나 억울한 일인가? 이 세상에 상처를 받지 않고 사는 사람이 어디 있는가? 그런데 나만 화병에 걸려 일찍 죽는다면 그처럼 딱한 일이 어디 있겠는가?

우리를 아프게 하고 상처를 준 이들 중 많은 이들이 자신의 잘못을 기억하지 못한다. 용서를 청해야 한다는 사실조차 모른 채 살아가는 경우가 허다하다. 세상을 뜬 경우도 있다. 이렇게 되면 아무리 세월이 흘러도 상대는 우리에게 용서를 청할 수 없다. 상대가 이미 이 세상 사람이 아니라 해도 용서를 해야 하는 이유는 용서란 우리 자신을 위한 것이기에 그러하다. 우리의 정신건강을 위해서 꼭 필요하기 때문이다.[2]

---

2. M. 스코트 펙, 「길을 떠난 영혼은 한 곳에 머물지 않는다」(서울 : 고려원미디어, 1995), p. 48.

2. 용서를 해야 하는 두 번째 이유는, 다른 이들에게 피곤한 사람으로 찍히지 않기 위해서이다. 함께 지내기 가장 어려운 사람은 늘 불평 불만에 차 있는 사람이다.

부정적 감정이나 생각만큼 전염성이 강한 것은 없다. 한 사람의 마음이 우울하면 그 옆에 있는 사람의 마음도 어두워진다. 늘 화를 내는 사람 옆에서 살아가는 이들은 화를 먹으면서 살아가는 셈이다.

만일 당신이 불행했던 지난날을 붙들고 살면서 이웃을 탓하고, 가족을 원망하고, 늘상 분노에 차 산다면 처음에는 당신의 아픔을 진심으로 헤아려 주고 힘이 되어주고자 왔던 사람들마저 시간이 지나면서 점점 더 멀어져 갈 것이다. 만일 당신이 입만 열면 원망과 증오에 찬 말을 내뱉는다면 그 말을 듣는 사람은 짜증이 날 것이며 나중엔 당신을 될 수 있으면 피하려 할 것이다. 단순히 피하는 것이 아니라 당신의 분노와 적개심이 주는 전염병이 무서워 피할 것이다. 그렇게 되면 당신의 상처는 아물기는커녕 더 심해질 것이다.

내게 잘못한 이를 용서하지 못하고 미워하면 미워하는 그만큼 증오심이 쌓여가게 된다. 용서를 하지 않겠다는 것은 내 마음 안에 증오심을 굳히겠다는 것이다. 이렇게 굳어진 증오심은 파괴적인 행위를 유발시킨다.

우리가 용서하지 않으면 상처난 마음을 아물게 하기보다는 그 상처를 키우면서 살아가게 된다. 마치 꽃에다 물을 주듯이 상처에다 미움이라는 물을 주고 있는 셈이 되는 것이다. 과거에 받은 상처로 인해서 화를 끓이면서 그 위에다 매일같이 증오심의 물을 주면서 내게 상처준 그 사람이 내 마음속을 다 차지하게 만드는 것이다.[3] 내 인생의 귀한 시간을 그 미운 사람이 다 차지하고 있는 것이다. 미움은 악순환이다. 그러면서 나는 벗들이나 가족들에게 피곤한 사람, 늘 불만에 차 있고 까다로운 사

---

3. '꽃에다 물을 주듯이 상처에다 미움의 물을 준다.'는 표현은 심리학자이며 사제인 채준호 신부의 표현이다.

람으로 낙인찍힌다.

영성학자들은, 미워하는 마음을 갖는 것은 곧 마귀에게 자기 마음을 내주는 것이라 한다. 일단 누군가를 미워하고 증오하게 되면 그 다음부터는 마귀가 그를 움직인다는 것이다. '마귀의 운동장'에서 놀지 않으려면, 다른 이들에게 피곤한 존재가 되지 않으려면, 미움이라는 악순환에서 뛰쳐나오는 수밖에 없다. 상대방이 뉘우치기를 기다리면서 '마귀의 운동장'에서 헤맬 것이 아니라 그 운동장을 뛰쳐나오는 것이다.

4
용서하기 위하여

용서는 저절로 되는 것이 아니다. 용서하기 위해서는 먼저 결심이 필요하고, 그 다음 하느님의 도움이 필요하다. 예수님의 지상명령인 용서를 진심으로 실천하고 싶지만 감정적 어려움 때문에 실행하기 어렵다면 먼저 용서하겠다는 결심을 하여야 한다. 용서하겠다는 결심을 내리는 그 순간부터 용서는 시작된다. 용서하겠다는 결심을 하는 것은 인간으로서는 불가능하지만 종교적 행위로서는 가능하다. 용서하기 위해서 절대적으로 필요한 것은 의지이다. 주님의 지상명령이기에 용서하겠다는 의지적 결단이다.

나는 대학시절 인종이란 학생을 가르친 적이 있다. 인종이는 신앙심이 깊고 착실한 아이였다. 그런데 그 아이가 고3 때 학교가 끝나고 집으로 돌아오던 길에 불량배들이 휘두른 칼에 찔려 죽었다. 인종이의 부모님 역시 열심한 신자였는데, 이러한 사실을 안 가해자 학생들의 부모들은 여러 차례 인종이 부모님을 찾아와 예수님의 이름을 들먹이며 용서해 달라고 애원하였다. 인종이 부모님은 자기 아들을 죽인 학생들을 용서하기가 정말 어려웠지만 신앙의 이름으로 용서하였다. 그때 인종이 어머니께서 하신 말씀이 기억난다. "나는 절대로 당신들의 아이를 용서할 수 없습니다. 다만 주님의 이름으로 용서할 뿐입니다. 그러니 앞으로 절대 내 앞에 나타나지 마십시오." 인종이 부모님께서는 정말 하기 어려운 용서를 신앙행위로서 하였는데, 놀라운 것은 이러한 용서를 하고 나서 서서히 아들을 잃은 상처에서 일어날 수 있게 되었다는 점이다.

용서하겠다는 결심을 한 뒤에는 하느님께

도움을 청하여야 한다. 인종이 어머님이 하신, "나는 절대로 당신들의 아이를 용서할 수 없습니다."라는 말은 참으로 솔직한 말이다. 하느님의 도움이 없이는 피해의식에서 벗어나기 어렵다. 그러니 용서를 결심한 뒤에는 하느님께 용서할 수 있게 해 달라고, 상처에 대한 아픔을 잊을 수 있게 해 달라고 도움을 청하여야 한다. 응어리진 마음이 하느님의 자비로 대치되고, 좁은 이해심이 하느님의 관대함으로 대치될 수 있게 해 달라고 청하여야 한다.

용서는 저절로 되는 것이 아니라 결심이 필요하고 주님의 도움이 필요하기에, 용서해야 할 사람의 명단을 작성하고 주님께 기도하는 것이 효과적이다. 또 용서하기가 힘들다고 느낀다면 '주님의 기도'에서 "저희에게 잘못한 이를 저희가 용서하오니 저희 죄를 용서하소서."를 천천히 반복해서 기도하는 것도 도움이 된다. '주님의 기도'만큼 간결하면서도 의미 깊게 용서를 가르쳐 주는 기도문은 없다.

용서하기 위해서는 상처가 치유되느냐 안 되느냐의 열쇠가 바로 나에게 있다는 점을 명심하여야 한다. 내게 상처를 준 사람이 나를 치유시켜 줘야 한다고 생각한다면 우리는 평생 상처에서 헤어날 수 없을 것이다.[1] 내 상처를 아물게 할 수 있는 사람은 오직 나 자신과 하느님뿐이다. 내가 하느님의 도움을 받아서 일어서는 것이다. 상대가 변화되어야만, 현실이 바뀌어야만, 내 상처가 낫는다고 생각한다면 큰 착각이다. 우리에게 상처준 사람은 분명 있지만 근본적으로 치유되려면 다음과 같은 생각을 가져야 한다. '내 상처, 내 아픔은 누구의 잘못도, 누구의 죄도 아니다. 그러니 누구의 도움을 받아서 일어설 필요도, 또 누가 나에게 용서를 청해야 하는 것도 아니다. 오로지 내 스스로의 힘으로 일어서야 한다.'

1. "상처에서 치유되느냐 안 되느냐의 열쇠는 나에게 있다."는 말은 채준호 신부의 피정 강론, '고통에 대해서'에 나온 표현이다.

1950년대, 2차세계대전의 여파로 깊은 상처를 안고 살아가던 유럽인들을 노래로써 위로한 유명한 상송가수가 있었다. 뤼시앵 뒤발이라는 예수회 신부였다. 그가 얼마나 유명했는지는 그가 한 해 받아오는 공연료와 그가 속한 프랑스 관구 전체 예수회원이 받아오는 총 사례금을 비교해 보면 알 수 있었다. 그가 받아오는 돈이 다른 신부들의 수입 전체의 몇 배나 되었으니까. 그러나 그는 불행히도 알코올 중독자였다.[2] 그가 속한 공동체 원장 신부님은 저녁마다 냉장고에 포도주와 맥주병이 몇 개 남아 있는지 확인하였다. 때로는 뒤발 신부가 술을 마시지 못하도록 냉장고를 자물쇠로 채워놓기도 하였다. 뒤발 신부는 절대로 술을 마시지 않겠다고 수없이 결심했지만 자기도 모르는 새 냉장고 앞에 서 있는 자신을 발견하였

2. 뤼시앵 뒤발 신부님에 대해 더 알고 싶은 독자들은 그가 쓴 자전적 글 「뤼시앵 신부의 고백」을 참조하기 바란다. 뤼시앵 뒤발, 「뤼시앵 신부의 고백」(서울 : 바오로딸, 1996).

다. 그럴 때마다 자신에게 너무나도 부끄러워 발걸음을 돌리지만 한편으로 밀려드는 느낌은 '나는 그렇고 그런 놈이 아닌가.'라는 자괴감이었다. '술을 먹으러 여기까지 왔는데, 이미 술 앞에 무릎을 꿇은 것이 옛날인데, 이제 와서 방으로 간다고 무슨 소용이란 말인가.'하는 생각에 다시 냉장고 문을 열고 술병을 꺼내 술병 뚜껑을 땄다. 그리고 원장 신부가 눈치채지 못할 정도로 아주 조금만 마셨다. 그리고 냉장고 문을 닫고 가려고 하다가 다시 '이미 버린 몸, 이제 와서 아껴봤자 뭐 하랴.'하는 자포자기의 심정이 몰려와 냉장고 안에 있는 술이란 술은 밤새 다 마셔버렸다. 이러한 일이 반복되자 뒤발 신부는 더이상 견딜 수 없는 절망감에 빠져 자살을 기도한다. 다행히 뒤발 신부와 친한 동창 신부가 그를 죽음에서 건져낸다.

뒤발 신부가 알코올 중독에서 벗어나 새로운 삶을 살기 시작하면서 이런 말을 했다. "이 나이에 이르러 내게 가장 중요한 것이 있다면, 나는 뤼시앵 뒤발이고 알코올 중독자란 사실입니다."

뒤발 신부는 알코올 중독에서 벗어나려고 노력하는 과정에서 '자신이 왜 술을 마시게 되었는지, 어떤 상처들이 있어 술을 마시게 되었는지?'를 추적하였다. 맨 처음 머리에 떠오른 사람들은 수도회 장상들과 동료 신부들이었다. 그들은 단 한 번도 뒤발 신부의 공연에 관심을 가진 적이 없었다. 게시판에 초청장을 붙여놓아도 오는 사람이 있기는커녕, 공연이 끝나고 공동체에 돌아와도 누구 하나 관심을 갖고 물어보지도 않았다. 장상이나 동료 신부들은 '수도자가 무슨 딴따라야?' 하는 비난의 눈초리로만 볼 뿐이었다.

이어서 밀려온 아픔은 '수도자는 청빈을 살아야 한다.'는 명목으로 자동차를 사주지 않은 사실이었다. 그래서 엠프니 기타니 하는 많은 악기를 오토바이에 실어 날라야 했다. 그가 공연 수입으로 갖고 오는 돈은 엄청났건만 수도회는 수입금만 챙길 뿐 아무것도 도와주지 않은 것이었다.

뒤발 신부는 이런 식으로 수도회 장상으로부터 시작하여 어린 시절까지 자기에게 상처를 준 사람이나 사건들을 돌아보았다. 어린 시절 그가 받았던 가장 큰 상처는, 오랫동안 모은 돈으로 아코디언을 사러 갔는데, 가게 주인이 그에게 고물 아코디언을 속여 판 것이었다.

이렇게 상처를 더듬는 가운데 뒤발 신부는 다음과 같은 사실을 깊이 깨달았다. 자신이 알코올 중독자가 된 것은 누가 자기에게 상처를 준 때문도, 그 누구의 잘못 때문도 아니라는 점이었다. 그러니 누구의 도움에 의지할 것이 아니라 홀로 일어서야 하며 자신만이 알코올 중독에서 벗어날 수 있는 열쇠를 가졌다는 점이었다.

데이비드 A. 시맨즈는, 우리가 어떤 상처를 받든 그 상처의 궁극적 책임은 우리 자신에게 있다며 다음과 같이 말한다.

"인생은 마치 베틀로 짜여진 복잡한 무늬의 융단과 같다. 유전적인 요소, 환경적인 요소, 어렸을 때의 경험, 부모로부터 받은 영향, 선생님으로부터 받은 영향, 친구로부터 받은 영향, 인생의 모든 장애물들, 이 모두가 베틀의 씨줄이 되고 그 위를 당신이 날줄이 되어 왔다갔다하는 것이다. 이렇게 베틀이 왔다갔다하면서 당신의 반응에 따라서 인생이라는 융단이 짜여지게 된다. 당신은 당신의 행동에 대한 책임이 있다. 당신이 다른 사람을 비난하는 것을 그치고 자신의 책임을 시인하기 전까지는 당신의 손상된 감정을 절대로 치료받지 못할 것이다."[3]

용서하기 위해서는 나를 아프게 한 상대방을 이해해야 한다. 이는 고통스런 기억이 사라지기 위해서 꼭 필요한 조건이다. 용서한다는 것은 힘든 일이니만큼 내게 상처준 사람을 이해하는 것은 용서에 큰 도움이 된다. 그 사람의 성장 배경에 대해서 생각해 보고, 그가 어떤 상황에서 그런 일을 하였는지를 생각해 보

---

3. 데이비드 A. 시맨즈, 「상한 감정의 치유」(서울 : 두란노, 1994), p. 31.

는 것이다.

우리가 상대방에 대해서 이해하면 할수록 용서는 쉬워진다. 용서한다는 것은 관계를 깨뜨린 상대방을 다시 받아들이는 것이다. 다시 받아들인다는 것은 베푸는 행위이다. 관계의 틈이 벌어졌을 때 회복을 위해 베풂의 행위를 하려면 상대방에 대한 이해가 필요하다. 이런 의미에서 이해는 용서의 시작일 뿐 아니라 용서의 원천이기도 하다. 우리가 이해하고 이해했음을 보여줄 때 우리는 상대를 용서할 수 있고, 벌어졌던 관계는 호전될 수 있다. 우리는 이해하며 깨닫는다. 우리가 이해할 때 자비심을 갖게 되며 자연히 고통을 풀 수 있는 방법을 찾을 수 있게 된다.

음악가 리스트가 어느 도시에 머물게 되었다. 호텔 로비에는 연주회 포스터가 붙어 있었다. 연주자의 약력을 보니 리스트의 문하생이라고 씌어 있었다. 리스트는 아무리 생각해 봐도 그런 이름의 제자는 기억나지 않았다. 한편 그 무명의 연주자의 귀에 리스트가 그 도시에 머물고 있다는 소식이 전해졌다. 연주자는 창백한 얼굴로 리스트를 찾아와 떨리는 목소리로 용서를 청하였다. "저는 생계 유지조차 어려울 만큼 힘겹게 살아가고 있습니다. 연주 실력도 그저 그렇습니다. 그래서 선생님의 제자라고 하면 레슨을 받으러 오는 학생들이 생기지 않을까 해서 이렇게 큰 잘못을 저질렀습니다. 용서해 주십시오. 음악회는 당장 취소하겠습니다." 이러한 사과의 말을 들은 리스트는 그 연주자에게 그 자리에서 한번 피아노를 연주해 보라고 했다. 그 사람이 피아노를 치고 나자 리스트는 여기저기 잘못된 부분을 지적해 주었다. 그리고 나서 말하였다. "당신은 이제 내 제자입니다. 그러니 사람들에게 가서 스승도 찬조출연할 것이라고 말하시오. 하지만 당신이 내 제자라고 거짓 선전한 것은 분명 잘못된 것이었습니다."

나는 까마귀를 별로 좋아하지 않았었다. 미

국에서 박사 논문을 준비하는 동안 날마다 학교 캠퍼스를 2시간 정도 산책하였는데, 그때마다 만나는 새들은 언제나 까마귀였다. 지끈지끈 아팠던 머리를 식히려고 산책을 하는데 왜 하필이면 저렇게 못생기고, 듣기 싫은 소리를 내는 까마귀떼람. 그러던 중 어느날 까마귀들은 부부간에 사이좋고, 부모 자식 간에 인정 깊고, 형제들 간에 의리가 깊다는 이야기를 들었다. 한 까마귀가 병들면 다른 까마귀들이 병든 까마귀를 돌보아 준다는 것이다. 이런 이야기를 들은 뒤부터는 까마귀들을 보면 정이 가고, '저런 미물도 서로 아끼고 힘이 되어주다니!' 하며 고마운 마음까지 들게 되었다. 그렇다. 우리가 외모나 편견을 떠나서 한 사람을 이해하게 된다면, 특히 그의 불행한 사연들을 깊이 이해하게 된다면, 그를 훨씬 쉽게 용서할 수 있게 될 것이다.

이렇게 상처의 원인이 되었던 상대방을 이해하자는 이야기를 하면서 특별히 강조해서 환기시킬 말이 있다. 나를 아프게 한 사람을 이해한다는 것은 그에게 값싼 용서를 베풀자는 것이 아니다. 진정한 용서는 값싼 용서와는 분명히 다른 것이다.

값싼 용서는 나에게 잘못한 이를 애써 좋게 봐주는 것이다. 애써 좋게 봐준다는 것은 저지른 악을 애써 외면하는 것이다. 예를 들면 '그래, 어머니는 내가 어릴 때 나를 학대했어. 하지만 어머니도 인간이지. 어머니가 내게 잘못한 것은 그분의 인간적 결함 때문이야. 그분도 자기 나름대로는 최선을 다하다가 어쩔 수 없어 그렇게 했겠지. 어머니도 어렸을 때 나름대로 상처를 받았을 테고 자라면서 그런 인격을 갖게 되었기에 당신도 어쩔 수 없이 아픔을 주었을 거야.'라고 생각하는 것이다. 이러한 태도는 값싼 용서요, 애써 좋게 봐주는 행위이다.

한편 진정한 용서는 저지른 잘못이나 악과 정면으로 맞서는 것이다. 위의 예에 대한 적극적인 용서는, '어머니가 나에게 한 짓은 어떤 이유에서든 잘못이야. 어머니는 내게 더 잘해

줄 수 있었는데도 그런 잘못을 저지른 거야. 내 인생에 큰 해를 입히고, 큰 상처를 주었어. 하지만 나는 이제 어머니를 용서할 거야.'라고 생각하는 것이다.

진정한 용서가 이뤄지려면 먼저 유죄판결이 있어야 한다. 아무런 죄도 저지르지 않은 사람을 용서해 줄 수는 없기 때문이다.[4]

불가에서 종교적 깨달음의 여러 단계를 표현하는 유명한 명제가 있다. '산은 산이요, 물은 물이로다.' '산은 산이 아니요, 물은 물이 아니로다.' '산은 산이요, 물은 물이로다.'라는 것이다. 만물의 실상은 보지 못한 채 현상계에만 머물러 살아가는 범부에게는 '산은 산이요, 물은 물이다.' 하지만 조금이라도 만물의 실상을 보려는 사람들, 즉 산과 물이 끊임없이 부식되고 풍화되면서 그 모양을 달리함을 깨닫는 사람들에게는, '산이 산이 아니요,

4. M. 스코트 펙, 「길을 떠난 영혼은 한 곳에 머물지 않는다」, pp.42-43.

물이 물이 아니다.' 이렇게 본질의 세계를 바라보는 단계가 더 깊어지면, 그 다음은 '산은 산이요, 물은 물이다.'란 사실을 깨닫게 된다. 아무리 산과 물이 그 모습을 달리하면서 무상하게 변한다 해도 눈에 보이는 그것은 분명 산과 물이기 때문이다.

어쩌면 우리가 우리에게 잘못한 사람들을 용서하는 과정도 불가에서 말하는 깨달음의 경지와 비슷할지 모른다. 내게 절대적인 의지처였던 어머니가 언젠가부터 어머니가 아니었지만, 깊은 이해를 갖는 시점에서 어머니는 다시금 어머니인 것이다.

이해하고 용서하기 위해서는 상대가 내게 잘못한 것을 분명히 인지하고 분노하여야 한다. 분노는 마치 상대의 범죄 사실에 대해 심판을 내림과 같다. 그런데 이 분노를 오래 품게 되면 우리는 다시 한번 상처를 입게 된다. 분노를 느끼고 나면 용서하겠다는 결심을 하여야 한다.

한 사람이 어린 시절에 부모로부터 학대받

았거나 버림받았다는 사실을 인정하게 되면 상담치료자들은 그 사람에게 "참 안됐군요." 라고 말하지 않는다. 왜냐하면 그 사람이 인정한 그 고통은 궁극적으로 그를 건강하게 만들 것이기 때문이다.[5]

용서하는 과정에서 용서 콤플렉스에 빠지면 안 된다. 많은 그리스도교 신자들은 용서라는 말 앞에서 종교적 콤플렉스를 느낀다. 용서라는 말만 들으면 왠지 움츠러들고 자신이 없어진다. 자신이 위선자 같고, 엉터리 신자 같고, 하느님 앞에서 죄송스러움을 느낀다. 사순절이나 대림시기에 판공을 본 많은 신자들은 다음과 같은 생각에 시달린다. '나는 정말로 용서하였는가? 그런데 왜 내 마음은 여전히 아프고 섭섭한 것일까?' 이런 자문자답이 있고 나서 '그래, 나는 아직도 그 사람을 용서하지 않은 거야.' 라는 결론을 내리게 된다.

우리 그리스도인들이 갖고 있는 종교적 오

5. 같은 책, p.86.

해가 바로 용서에 대한 오해이다. '내게 상처 준 사람을 진정으로 용서하였다면 더이상은 그 사람 때문에 아파하지 말아야 한다.'고 생각하는 것이다.

하지만 현실적으로 그것이 가능할까? 우리는 행위로서 용서한다는 것과 느낌 차원에서 용서한다는 것이 서로 다르다는 것을 알아야 한다. 용서하는 행위는 하나의 종교적 선택이요 결심이다. 그것은 신앙인으로서 주님의 지상명령에 따라 내리는 종교적 행위이다. 그런데 느낌으로 상대를 용서하는 것은 우리가 의지적으로 선택한 종교적 행위의 용서와는 관계가 없다.

우리가 용서를 한다고 해도 몸 자체가 용서하는 데는 시간이 걸린다. 우리에게 잘못한 이를 신앙 안에서 용서한다고 해도 우리는 여전히 아픈 느낌을 갖고 있을 것이다. 우리에게 잘못한 사람을 만나면 여전히 얼굴은 굳어지고 아픈 상처에서는 피가 흘러나올 것이다. 우리가 느낌 차원, 몸 차원에서 상대를 용서하기 위해서는 시간이 걸린다. 상처가 아물기 위해 시간이 걸리는 것은 너무나 당연한 것이다. 만약 받은 상처가 아주 크고 깊다면 아무는 시간은 그만큼 더 걸린다. 사랑하는 사람에게 배신당했을 때, 믿었던 사람으로부터 이용당했을 때, 억울한 누명을 쓰게 되었을 때, 명예 훼손을 당했을 때…이 모든 상처들은 시간이 걸려야만 아물 수 있는 상처들이다. 비록 종교적 행위로서 상대방을 용서하였다 해도 이렇게 큰 상처들이 아물려면 오랜 시간이 걸려야 한다.

미움과 증오의 감정으로 괴로울 때 우리가 해야 할 일은 마음의 소리를 듣는 것이다. 마음의 소리를 듣는 것은 평화를 얻기 위해서 아주 중요하다. 내가 이미 상대방을 용서했어도 마음으로 상대를 편안하게 대하려면 시간이 필요하다는 것을 들어주어야 한다. 만약에 자기 마음을 들어주는 일이 안 되면 자기를 죽이게 된다. 곧 자신이 참으로 용서하지 못하고 있다고 자기 비판과 비난을 하게 된다. 그렇지 않아도 상대방 때문에 상처를 받아 피를 흘리고 있는 마당에 내 스스로 또 생채기를 내는 것이다.

그러니 우리는 다시 한번 다음 사실을 자각하여야 한다. 용서하는 행위는 하나의 종교적 결심으로서 분명히 행동화할 수 있지만 느낌과 몸으로까지 용서를 하려면 시간이 걸린다는 점이다. 만약 이 점을 모르고 있다면 우리는 자신을 늘 용서할 줄 모르는 못난 사람으로 탓하고, 때로는 스스로를 위선자라고 단죄할지도 모른다.

내게 상처를 준 사람을 용서하기 위해서는 먼저 내 자신을 용서할 필요가 있다. 상처받은 사람은 자신을 단죄하는 경우가 많다. '어떻게 내가 그렇게 행동할 수 있었을까? 상처받은 내가 바보지. 그런 내 자신을 절대로 용서할 수 없어.' 자신에 대한 실망 때문에 스스로를 용서할 수 없는 것이다. 자기를 단죄하고 벌을 줌으로써 우리는 다시 한번 스스로에게 상처를 입히게 된다. 자기를 용서하지 못하고 단죄하는 사람은 자기 스스로를 보잘것없는 사람, 실패한 인물로 만든다.

자기 단죄는 파괴적이고, 병적이고, 비그리스도교적이다.[6] 자기 멸시, 자기 학대에 빠질 때 우리는 치유하시는 하느님의 용서와 사랑을 결코 체험할 수 없다. 자기 스스로를 단죄하고 용서하지 못하는 사람이 어떻게 하느님의 용서를 받아들일 수 있겠는가?

아무리 하느님께서 용서해 주시려 해도 우리가 스스로를 용서하지 않으면 하느님의 용서는 무색할 뿐이다. 유다를 보라. 예수께서는 십자가 위에서 당신을 죽이게끔 넘겨준 자들(또는 배반한 자들)을 위해 기도하면서 그 중의 한 사람인 유다를 위해서도 기도하셨다. 하지만 유다는 자기 스스로를 용서할 수 없었기에 결국 자살해 버린다.

한편 자신을 용서한 자들은 하느님의 용서

---

6. Martin H. Padovani, *Healing Wounded Emotions : Overcoming Life's Hurts*(Mystic, CT : Twenty – third, 1993), p.42.

를 받고 다시 일어섰다. 성서의 훌륭한 인물은 다 스스로를 용서한 자이다. 다윗, 베드로, 막달라 마리아, 바오로 등. 이들은 얼마나 부끄러운 죄를 지은 자들이었는가! 다윗의 경우는 간음죄와 살인죄를, 베드로의 경우는 스승을 배반하고 저버린 죄를, 막달라 마리아는 성범죄를, 바오로는 그리스도인들을 박해한 죄를 지었다. 하지만 이들은 모두 하느님의 용서를 받고 자기 자신을 용서했으며 새롭게 태어났다.

우리는 하느님의 용서를 피상적으로만 받아들이는 경우가 많다. 그것은 우리가 자기 용서라는, 용서의 깊은 체험을 하지 못했기 때문이다. 주님께서 우리를 용서하신다는 사실을 진실로 믿고 자신을 용서할 때에 구원의 충만함을 체험할 수 있다.

예수께서는 간음한 여인의 경우를 통해서, 우리가 어떤 상처를 받았다 하더라도 자신을 사랑하며 살아가야 한다는 귀한 가르침을 주신다. 예수께서는 간음한 여인에게 "여인아,

너를 단죄한 사람이 있더냐?" 물으시고 "나도 너를 단죄치 않겠다."라고 말씀하셨다. 주님께서 단죄치 않으니, 그 여인도 스스로를 단죄치 말아야 한다.

데이비드 A. 시맨즈는, 하느님이 우리 죄를 용서하실 때 그 죄를 다시는 기억지 아니한다는 말을 하기 위해 다음과 같은 이미지를 사용한다. "하느님께서는 우리의 죄를 바다 깊은 곳에 던지시고, 강둑에다 '낚시 금지'라는 팻말을 꽂아놓으신다."[7] 하느님이 용서해 주시고 잊어버린 것을 우리가 다시 낚시질해서 끄집어 낼 권한이 없다는 것이다.

병자와 중독자에게는 용서가 아니라 치료가 필요하다. 알코올 중독자, 약물과 도박 중독자, 성 중독자 등 중독자에게는 치료가 필요하다. 병자로부터, 중독자로부터 끊임없이 상처를 받고 있는 사람이 신앙의 이름으로 참고 견딘다든가 용서한다든가 하는 것은 올바른 행

7. 데이비드 A. 시맨즈, 앞의 책, p.32.

위가 아니다. 그런 값싼 용서로는 상대를 참으로 용서할 수 없고, 서로에게 비극적인 종말만을 초래할 뿐이다.

예수회 드 멜로 신부는 다음과 같이 말한다.

어떤 사람이 여행 도중 차가 고장나자 소매를 걷어붙이고 고장난 차를 밀기 시작했다. 밀고 또 밀고 해서 한 도시에 도착하였다. 그런데 이 사람이 계속해서 고장난 차를 밀고 간다면 그는 정말 바보일 것이다. 그럼 그는 어떻게 하여야 하는가? 전문가의 도움을 받아야 한다. 보닛을 열고 점화 플러그를 바꿔 끼울 정비공이 필요하다. 고장난 차를 밀고 목적지까지 갈 필요는 없다. 전문가가 필요할 뿐이다. 병자에게도 마찬가지다. 병자에게는 노력이 필요한 것이 아니다. 그러니 도박, 알코올, 섹스 중독자에게 우리가 베풀어야 할 것은 용서가 아니라 치료이다.[8]

---

8. 드 멜로, 「깨어나십시오」(왜관 : 분도출판사, 1993).

중독증 환자로부터 학대받고 상처받는 이들이 감성적·신체적 폭력을 당하면서도 참고 견디는 것은 상대방이 변할지도 모른다는 막연한 기대 때문이다. 하지만 자신이 스스로를 보호하지 않는 한 상대방의 증세는 더 악화될 뿐이다. 왜냐하면 견딘다는 것은 상대방에게 감정적·신체적 폭력이 허락되고 있다는 것을

---

p.177. 다음은 심리학자이며 사제인 채준호 신부가, 구타하는 남편의 심리세계와 어떻게 그에게 치료를 베풀 것인가를 논한 것이다. 짧게 소개한다. 한 남자가 습관적으로 아내를 구타하는 것은 무의식 안에 아내가 자기를 떠나지 않을 것이라는 것을 알기 때문이다. 친구에게 툭하면 성질을 부리는 이들이 막상 주먹질을 하지 못하는 이유는 그렇게 되면 그가 떠날 것을 알기 때문이다. 우리가 애꿎은 강아지에게 발길질을 하는 이유는 그 강아지가 나에게 어떻게 할 수 없기 때문이다. 다음은 채준호 신부가 제시하는 몇 가지 조언이다. (1)언제든 떠날 수 있다는 것을 보여주는 부인에게는 폭력을 행사할 수 없다. (2)남편이 때리면 창피하다고 숨기지 말고 사람들에게 알려라. 이는 내가 독립적임을 보이는 행위다. (3)경찰에 신고하는 것도 마찬가지다. 내가 맞고 가만히 있는 사람이 아님을 보이는 것이다. (4)재결합의 조건으로 치료를 받게 하라.

알려주는 셈이기 때문이다.

이제 한 단원을 마무리하면서 미움이라는 악순환의 운동장에서 뛰쳐나올 수 있는 구체적 해결책을 제시한다.[9]

첫째, 베개를 가지고 십자가 앞에 앉으라. 십자가 앞에서 성호를 그은 뒤 나에게 상처를 준 상대방에게 맺힌 분노·적개심·한을 강렬하게 표시하라. 구태여 적절한 말을 고르려고 하지 말라. 입에서 나오는 대로, 가슴에서 나오는 대로 내뱉어라. 욕을 해도 좋다. 반드시 명심할 것은 치유되려면 화를 노출시킬 수 있는 용기가 반드시 필요하다는 것이다. 다시 마음의 평화를 누리고 싶다면 먼저 우리 안에 있는 화와 분노, 적개심을 모두 밖으로 끄집어 내어 표출할 필요가 있다. 사람들은 흔히 거칠

9. 이 구체적 해결책은 필자의 아이디어가 아니다. 그 누군가가 상처받은 이들에게 효과적인 도움을 주기 위하여 제시한 것이다. 그가 누구인지 기억하지 못하기에 익명으로 남겨놓았다.

게 표현하는 것을 두려워하여 한을 쌓아간다. 하지만 격한 감정, 부정적 감정들은 표현되면서 순화되어 가는 것이다. 그렇게 해야 우리는 '감정의 홍수'에[10] 빠져 무분별하게 행동하지 않게 된다. 분노가 극에 달하고 참기 어려우면 주먹으로 옆에 놓아둔 베개를 쳐라.

둘째, 증오심에서 벗어나고 싶다는, 맺힌 한을 풀고 싶다는 바람을 주님께 말씀드리라. 용서하겠다는 결심이 아니라 미움이라는 악순환에서 벗어나고 싶다는 결심을, 내 피 흘리는 상처에 날마다 미움의 물을 주면서 화병에 걸리고 암에 걸려 살고 싶지는 않다는 바람을 말씀드리라. 38년간 누워 지냈던 베싸이다 못가의 병자가 걸을 수 있었던 것은 "네가 진정으로 낫기를 원하느냐?"라는 예수의 물음에 "그렇습니다."라고 대답하고 나서부터이다. 나는 진정으로 미움의 운동장에서 벗어나고 싶은

---

10. 김인자, 「사람의 마음을 여는 열쇠 8가지」(서울 : 사람과 사람, 1997).

가? 아니면 억울함만을 호소하면서 주님과 다른 사람들로부터 동정을 받고 싶은가?

셋째, 십자가에 달리신 주님을 바라보라. 억울하게 돌아가신 예수님, 그렇지만 한을 마음에 품고 계시지 않는 예수님을 바라보라. 당신의 한맺힌 사건과 예수의 억울한 사연을 비교해 보라. 당신이 아무리 큰 상처를 받았다 해도 십자가에 달리신 예수 그리스도 앞에서 "당신의 상처는 제 상처만 못합니다."라고 말할 수는 없을 것이다. 당신이 아무리 무고하게 배척받았다 해도 십자가에 달리신 주님만큼 배척받지는 않았다. 이 세상에서 우리가 겪은 어떠한 불의도 주님께서 십자가에서 겪으신 사건보다 더 불의하지 않다.

기도를 하고 나서도 상대방을 증오하는 마음이 계속 남아 있다고 놀랄 필요는 없다. 기도 한 번으로 모든 것이 용서되고 마음의 평화가 찾아들기를 바란다면 너무나 순진하고 비현실적인 바람일 것이다. 맺힌 한을 푸는 데는 시간이 걸린다. 그러니 당신 마음이 미움의 운동장을 헤맨다 싶을 때마다 계속 이러한 기도를 하라. 그 상처 때문에 더이상 영향을 받지 않는다고 생각될 때까지 이 몸의 기도를 계속하라. 치유는 하나의 과정이다. 상처가 깊어진 것이 하룻밤 사이에 이루어진 것이 아니라면 치유 또한 하룻밤 사이에 이루어질 수 없다.

그대는 누구에겐가 잘못을 저지른다.
또한 그대 자신에게도.
의로운 자가 사악한 자의 행위 앞에서
결백할 수 없으며
정직한 자가 그릇된 자의 행위 앞에서
완전히 결백할 수는 없음을.
그대는 결코 부정한 자와 정의로운 자를,
사악한 자와 선한 자를 가를 수 없다.
이들은 다 태양의 얼굴 앞에 함께 서 있기
때문이다.
그대 중 누군가가
부정한 아내를 재판하고자 한다면
그녀 남편의 마음도 저울에 달고 영혼도

재어보게 하라.
또 죄인을 채찍질하려는 자는 죄지은 자의
영혼을 헤아리고 나서 할 것인가 고민하라.
정의란, 그대가 기꺼이 따라가려는 법의
정의란 무엇인가?
바로 뉘우침이 아니겠는가.
죄인의 가슴에서 뉘우침을 빼앗지 말라.
청하지 않아도 뉘우침이란 한밤중에 찾아와
사람들을 깨우며 스스로를 응시하도록
만들고 있으니.

칼릴 지브란

5
사소한 상처에서 벗어나기 위하여

지금까지는 우리에게 상처를 준 사람들을 어떻게 용서할 수 있는가에 대해 살펴보았다. 지금까지 얘기한 상처는 '진짜 상처'이다. 진짜 상처와 사소한 상처는 구분되어야 한다. 진짜 상처라면 우리는 미움의 악순환이라는 운동장에서 벗어나야 한다. 하지만 사소한 상처라면 그러한 상처를 자초한 우리의 미성숙한 태도에서 벗어나야 한다. 우리가 진짜 상처를 받았다면 용서해야 될 대상은 우리에게 상처를 입힌 상대방이다. 하지만 그것이 사소한 상처라면 용서해야 될 대상은 상대방이 아니라 우리 자신이다.

사소한 상처에서 해방되고 또 사소한 상처를 다시 자초하지 않기 위해서 필요한 해결책들을 제시해 본다.

첫째, 사소한 상처에서 헤어나려면 기대하지 말라. 상대방이 어머니처럼 나를 돌보아 주고 헤아려 주기를 기대하는 마음을 버려라.[1] 기대한다는 것은 곧 실망하고 상처받겠다는 것이다. 기대는 안개와 같다. 안개는 있지만 만져지지는 않는다. 기대는 우리를 속이고 헤매게 만든다. 기대는 우리 마음을 멍들게 하고 관계를 파괴시킨다.

우리는 이 세상 누구에게도 기대할 수 없다. 우리가 기댈 수 있는 대상이 있다면 그것은 오로지 우리 자신뿐이다. 자녀에게조차도 기대를 걸지 말자. 우리가 자녀에게 바랄 것이 있다면 그것은 기대가 아니라 희망이다. 내 자녀

1. 이 해결책은 채준호 신부가 특별히 강조하면서 제시한 이론이다.

가 훗날 커서 의사가 되고 변호사가 되기를 바라는 것은 부모의 기대를 자녀에게 강요하는 것이다. 부모가 펴보지 못한 바람이나 억눌린 욕구를 자녀에게 강요하는 것이다. 하지만 자녀에게 희망을 갖는 부모는 자녀의 재능과 꿈을 먼저 헤아려 주며 자녀의 생이 완성되고 선이 자라기만을 바란다.

자식이든, 친지든, 친구이든, 다른 사람에게 기대하며 산다는 것은 상처받겠다는 것이나 마찬가지다. 우리는 일상 안에서 얼마나 쉽게 배신감이나 섭섭함을 느끼는가. 며칠 동안 아무도 찾아오지도 않고, 전화도 한 통 없고, 편지 하나 없으면 우리는 우울해한다. 챙겨줄 만한 사람들이 명절이 가까이 오는데도 선물 하나 하지 않는다든가, 주말이 다가오는데도 아무도 함께 놀러 가자고 초대하지 않는다면 우리 마음은 우울하고 소외감을 느끼게 된다. 그러면서 내가 상대에게 베풀어 준 것들과 상대방이 나에게 한 태도들을 비교해 보게 된다. '왜 내가 항상 먼저 전화를 해야 하는가? 먼저 좀 전화해 주면 안 되나?' '지난번 그 집 딸 생일날에 나는 얼마짜리 생일 선물을 했었는데 내 딸 생일날엔 겨우 이런 것을 주다니.' 등.

한국에서 오랫동안 산 한 외국인의 말에 의하면 우리는 보상심리가 무척 강하다고 한다. 작은 친절을 베풀면 꼭 무엇인가 보답이 오기를 기대하며 그렇게 하지 않으면 섭섭하게 생각한다는 것이다. 자신이 베푼 친절을 헤아리며 그 친절에 대한 보답 행위를 바라는 사람은 많은 경우 자기 존경심이 낮으면서 동시에 자기 중심적인 사람이다. 또 한 가지는, 한국인은 상대가 나에게 상처를 주면 어떤 식으로든지 그것을 갚아야만 직성이 풀린다는 것이다.[2]

상대가 나에게 어머니처럼 헤아려 주기를 바라면서 살아가는 사람은 친구나 친지들을 자주 도마 위에 올려놓고 요리한다. 수많은 추측을 하면서 상대방을 이리저리 비판·비난하

---

2. 박상훈, 「하나님의 프로포즈」 (서울 : 크리폼, 1994), p. 81.

지만 그러면서 그의 자존심은 더욱 상하게 되고 기분은 더욱 암울해진다. 마음이 어두워지면 어두워지는 만큼 자기 옆에 있는 사람들이 뜻없이 한 사소한 행위들에서도 상처를 받는다. 별것 아닌 것 갖고도 이 세상 모든 사람들이 자기를 무시하고 멀리한다고 간주한다. 그리하여 더 깊은 어둠 속에서 헤매게 된다. 이른바 거부당함과 배신감이라는 악순환을 겪는 것이다.

이런 사소한 모든 섭섭함들은 상대가 나를 어머니처럼 헤아려 주기를 바라는 마음에서 나온 것이다. 이렇게 받은 상처들을 낫게 하려면 남이 아니라 나를 용서해야 한다.

사소한 상처는 다른 누구보다도 내가 가장 사랑하는 사람, 우리 자신의 피붙이로부터 오는 경우가 흔하다.

왜 사랑과 격노는 서로 얽혀 있는가? 왜 우리가 가장 사랑하는 사람들이 우리를 가장 분노하게 만들고 화나게 하는가? "분노는 본시 친밀함을 먹고 자라고 번성한다."고 하듯 피붙

이만큼 친밀한 사이가 이 세상에는 없기 때문이다. 친밀한 사이이기에 그만큼 기대하는 바가 크고, 기대가 크기에 상처도 더 많이 받게 되는 것이다.

상대방이 나를 어머니처럼 헤아려 주기를 바라면서 받게 되는 사소한 상처들은 남성보다 여성에게서 더 많이 발견된다. 여성들은 누군가를 사랑하게 되면 자기가 갖고 있는 사랑을 퍼주고 싶어 애를 쓴다. 상대가 도움을 청하지 않았어도 섬세한 마음에서 우러나오는 호의를 상대에게 베푼다. 이러한 사람이 받게 되는 사소한 상처는 어떤 것일까? '지금까지 나는 너를 위해 그렇게 많은 것을 베풀어 주었는데 왜 너는 그렇게 베푸는 데 인색한가? 나는 지금 이러이러한 도움이 필요한데 그것을 꼭 내 입으로 말해야 된다는 말인가? 좀 알아서 해줄 수는 없단 말인가?'

존 그레이 박사에 따르면, 많은 여성들은 자기가 원하는 것을 말을 해서 받게 되면 그 사람은 자기를 사랑하지 않는 것이며 그 행위는 진심에서 나온 것이 아니고 엎드려 절받기라고 생각한다. 또는 잔소리 때문에 마음에도 없는 것을 해준 것으로 간주한다.[3]

상대방이 어머니처럼 알아서 헤아려 주기를 바라는 사람은, 많은 경우 마음이 부글부글 끓을 때가 되어서야 자기가 원하는 것을 표현한다. 상대방이 해주기를 기다리다 기다리다 할 수 없어서 도움을 청하는 것이니 그 마음이 편안할 리가 없다. 원망이 가득 쌓여서 도움을 청하니, 도움을 요청하는 것이 아니라 도움을 강요하는 식으로 변한다. 상대에 대한 비난과 판단을 담고 명령조로 말하게 되는 것이다.[4]

상대가 미리미리 헤아려서 나를 돌보아 주기를 바란다는 것은 비현실적인 동시에 무리한 바람이다. 내가 바라는 것을 입으로 분명히 표

---

3. 존 그레이, 「화성에서 온 남자, 금성에서 온 여자」(서울 : 친구, 1995), pp.280－281.
4. 같은 책, p.309.

현하는 것은 엎드려 절받기가 아니요, 자존심을 상하는 일이 아니다. 그것은 분명 현실적인 것이다. 더이상 감나무 밑에서 입을 벌리고 감 떨어지기를 기다리는 식의 행위를 하지 말라. 원하는 것이 있으면 분명히 청할 필요가 있다.

많은 여성들은 결혼 기념일과 관계해서 상처를 입는다. 둘이 서로 죽네 사네 사랑하다 결혼을 했건만 그 신성한 기념일을 챙기는 사람은 대부분 아내 편이다. 결혼 기념일이 가까이 오면 아내는 설레는 마음으로 남편에게 줄 선물도 마련하고 애정이 가득 담긴 카드도 쓰지만, 남편은 꽃다발은커녕 기억조차 못 한다. 그리하여 그 좋은 날 아내는 상처를 받는다. 그리고 다음해 결혼 기념일이 가까이 오면 마음이 조마조마해진다. '어디, 올해도 결혼 기념일을 잊기만 해봐라.' 하며 벼른다. 결혼 기념일같이 중요한 날을 잊어버리는 남성도 문제지만, 표현하지 않고 마음으로 기대만 하는 여성도 문제이다. 여성들만큼 섬세하지도 낭만적이지도 못한 남성들은 일 속에 빠져들면 결혼 기념일이라 해도 기억을 못 할 수가 있다. 그러니 다가오는 결혼 기념일을 헤아리면서 화를 쌓기보다는 미리 남편에게 알려주는 것이 좋다. 원한다면 결혼 기념일 한 주 전, 아니 한 달 전부터 남편에게 말할 필요가 있다. 말하는 것이 자존심을 덜 상한다. 그래도 말하는 것이 엎드려 절받기라 생각한다면 달력에다 붉은 펜으로 동그라미 표를 해놓아라. 그래도 안 될 것 같으면 동그라미 옆에다 중요하다는 뜻으로 별표 표시도 해놓으라. 그러면 남편이 물을 것이다. 이날이 무슨 날이기에 이렇게 강조해서 표시했냐고? 아니, 그때쯤 되면 아무리 무심한 남편이라 해도 그날이 무슨 날인지 즉시 기억할 것이다. 자기가 원하는 것, 필요로 하는 것을 상대에게 분명히 표현하는 것은 상대가 나를 사랑하고 또 나를 위해 최선을 다할 수 있는 사람임을 믿기에 솔직하게 청하는 것이다.

둘째, 사소한 상처에서 헤어나려면 추측하지 말라. 추측하면서 상대방과 상황을 내 멋대로 생각하지 말아야 한다. 사람들은, 특히 예민한 사람들은 아는 사람이 지나가면서 아는 척하지 않거나 평소와 달리 서둘러 인사하면서 지나가 버리면 마음이 어두워진다. 상대방이 자기를 무시하거나, 자기에게 화가 난 것으로 판단해 버리고 상처를 입는 것이다. 추측에서 나온 일방적인 판단이 친밀했던 관계를 얼마나 파괴시키며 또 서로에게 상처를 주는지 다음의 상담 케이스를 통해서 볼 수 있다.

예수회 신부요, 심리학자인 존 포웰이 한번은 관계가 악화되어 찾아온 한 부인과 그의 딸을 상담하게 되었다. 상담을 하면서 보니 문제의 원인은 너무나도 한심한 것이었다. 그 부인은 남편이 세상을 떠났을 때 자녀들 앞에서 단 한 번도 눈물을 보이지 않았다. 그런데 엄마의 이런 모습을 본 사춘기의 딸은 혼자 '엄마는 아빠를 사랑하지 않았다.' 고 단정했다. 그리고 엄마가 다른 애인을 사귀고 있다고 자기 나름대로 판단하고 오랫동안 엄마를 미워하였다. 그렇지 않아도 남편을 잃어 고통스러운데 사사

건건 대들고 반항을 하니 엄마 역시 딸을 미워하지 않을 수 없었다. 그러나 부인이 눈물을 흘리지 않은 것은 자기 나름대로 사연이 있었다. "전 아이들을 위해서 이를 악물고 강한 모습을 보이려고 애썼습니다. 아이들에게, 아빠는 천국에 갔으며 죽음은 슬픈 것만이 아니라는 것을 깨닫게 하려고 했던 겁니다."[5]

왜 개와 고양이는 앙숙인가? 그것은 서로간에 감정 표시가 다르기 때문이다. 개는 기분이 좋으면 꼬리를 치켜들고 살랑살랑 흔들어 대지만 기분이 언짢으면 꼬리를 늘어뜨린다. 그러나 고양이는 그 반대이다. 기분이 좋을 때는 꼬리를 내리고 성이 나면 꼬리를 세운다. 이렇게 감정 표현이 정반대이니 개와 고양이는 만나면 서로 싸울 수밖에 없다. 개가 고양이를 만나면 개는 반갑다고 꼬리를 쳐들고서 흔드는데, 고양이는 개의 이런 모습을

---

5. 존 포웰, 「마음의 계절」(서울 : 성바오로출판사, 1987), p. 107.

보고 '저 녀석이 나를 보고 기분이 나쁘구나. 꼬리를 저렇게 세우고 있으니.' 하고 생각한다. 한편 고양이가 개를 만났을 때 고양이는 반갑다는 뜻에서 꼬리를 늘어뜨리는데, 이 모양을 본 개는 '저 녀석이 나를 보더니 기분이 나쁘구나. 저렇게 꼬리를 축 늘어뜨리고 있으니.' 하며 마음이 상하는 것이다.[6] 서로가 자기 식으로 추측·해석하면서 감정이 상하는 것이다.

우리는 얼마나 자주 다른 이들을 오해하고 멋대로 판단하고 상처받고 있는가. 내가 상대방을 오해하는 것은 많은 경우 나와 그 사람 사이의 행동양식이나 인지구조가 서로 다르다는 것을 몰라서이다. 예를 들면 방안이 어지럽혀져 있어도 아무렇지도 않은 사람이 있는가 하면, 먼지 한 점 없게 쓸고 닦는 사람이 있다. 밥을 먹고 나서 즉시 설거지를 하지 않고 나중에

---

6. 박상훈, 「예수, 예수의 사람들」(서울 : 크리폼, 1994), p.70.

한꺼번에 몰아서 해도 아무렇지 않은 사람이 있는가 하면, 밥 먹자마자 즉시 설거지를 하지 않으면 다음 일을 할 수 없는 사람도 있다.

이렇게 서로가 다른 행동양식을 갖고 있기 때문에, 한편이 다른 편을 비난하거나 잘못되었다고 판단할 수 없다는 것이다. 같은 상황을 서로 다른 관점에서 해석하고 행동할 뿐, 누가 옳고 누가 틀린 것이 아니다. 그러니 상대가 나와 다르다는 것을 인정치 않고, 내 입장에서만 추측하고 판단하고 상처받는다면 그 상처는 내가 자초한 것이다.

이러한 경우 용서는 나와 타인의 서로 다른 행동양식과 인지구조를 인정하는 데서 이루어진다. 인디언 속담에 다음과 같은 것이 있다. "어떤 사람의 행동양식과 인지구조를 이해하려면 그 사람의 신을 신고 1마일을 걸어보아야 한다." 남의 신을 신고서 1마일을 간다는 것은 쉬운 일이 아니다. 그러나 일단 1마일을 갈 수 있다면 우리는 내 자신의 가치기준과 행동양식과 전혀 다르게 행동했던 상대를 이해

하게 될 것이다.[7]

셋째, 사소한 상처에서 자유롭고 싶다면 앞으로 인정과 애정이 없이는 못 산다는 얘기를 하지 말라. 우리에게는 한 가지 환상이 따라다닌다. 그것은 우리가 다른 이로부터 존경받고 인정받아야 한다는 것, 귀한 인물이 되어야 한다는 것이다.

흔히 존경받고, 인정받고, 귀한 존재가 되려는 욕망은 인간이 갖고 있는 본성적 경향이라고 간주한다. 정말 그럴까? 우리는 남의 인정을 받는 것을 본성적으로 원하는 걸까? 아니다. 자기 마음에다 대고 가만히 물어보라. 그리고 정말 무엇을 원하고 있는지 진지하게 물어보라. '내가 진실로 원하는 것은 다른 사람들의 인정인가? 남들의 존경인가?' 그리고 어떠한 느낌이 오는가 점검해 보라. 만약 가슴을 따스하게 해주는 느낌이 온다면 그것은 영혼의 느

7. 존 포웰, 앞의 책, pp.229-230.

낌이지만 그렇지 않다면 그것은 세상의 느낌이다.[8] 곧 무상한 세상이 주는 느낌이다.

우리가 본성적으로 원하는 것은 세상의 인정과 사랑이 아니라 자유롭게 살고 싶은 바람이다. 언제 주님께서 우리가 남들로부터 인정받아야만 살 수 있다고 했는가? 예수 그리스도께서 우리에게 그토록 주고 싶어하신 것은 자유이다. 죄에서 자유롭고, 죽음에서 자유롭고, 세상의 근심 걱정에서 자유로워지는 것이다. 주님께서 우리에게 주고 싶어하신 것은, 불교 언어를 빌려 표현한다면 무애진인(無碍眞人)이 되어 살게 하려는 것이었다. 어디에도 걸림이 없는 진실된 인간. 이 세상을 살아가는 우리에게 필요한 것은 자유로운 마음, 자유로운 삶이지 남에게 인정받고 사랑받는 것이 아니다.

하지만 인정과 애정이 없이는 결코 살 수 없다는 환상을 지닌 우리는 다른 이들의 사랑과

---

8. 드 멜로, 「깨어나십시오」(왜관 : 분도출판사, 1993), p.250.

인정을 필사적으로 추구한다. 상처를 받아도 좋고 병에 걸려도 좋으니 남의 인정과 사랑, 관심만 받으면 된다는 식이다. 이 사실은, 우리가 어려서 가족들의 관심을 끌고 싶었을 때 어떻게 행동했는가를 상기해 보면 잘 알 수 있다.

어느 이비인후과 병원에서 있었던 일이다. 한 꼬마가 중이염을 치료받기 위해 엄마와 함께 병원에 왔다. 그 아이 엄마는 의사에게 다음과 같이 말하였다. "의사 선생님, 애가 겨울방학 끝내면서 방학숙제로 쓴 일기를 제출했는데 거기에다 겨울방학 동안 가장 즐거웠던 일은 중이염에 걸린 것이라고 썼다지 뭐예요." 이 말을 들은 의사가 아이에게 "왜 아픈 것이 가장 즐거웠지?" 하고 묻자 그 아이는 "제가 아프니까 온 가족이, 특히 엄마가 저를 위해주고 또 의사 선생님도 저에게 친절하게 해주었으니까요."라고 대답하였다.[9] 우리 생각에는,

---

9. 생명의 삶 편집, 「어미 새의 사랑」(서울 : 두란노,

겨울방학 동안 여기저기 놀러 다니고 스케이트도 타고 하면 더 좋을 것 같은데 이 꼬마는 중이염에 걸려 누워 있는 것이 더 행복했던 것이다.

위의 사례는 우리가 얼마나 처절하게 다른 이들의 인정과 관심 그리고 애정을 갈구하는지 보여주는 예이다. 이러한 것은 우리가 어른이 되어서도 달라지지 않는다. 사랑받고 싶을 때 사랑을 받지 못하면 우리는 마음의 병을 앓는다. 많은 사람들이 홀로 서 있는 외로움을 견디기 힘들어 상처를 받고 고통을 받더라도 다른 사람들과 어울리려 애를 쓰는 것도 그런 까닭이다. 하지만 다른 사람과 어울린다고 해서 외로움에서 벗어날 수 있는 것은 아니다. 오히려 외로움 속으로 더 깊이 빠져들어 갈 뿐이다. 우리 모두는 사람들과 함께 어울리다 보면 피곤하고, 그렇다고 혼자 있으면 외롭고, 이러지도 저러지도 못한 채 서성이다가 상처

1993), pp.186-187.

만 받는 것이다.

생에 대해서 염세주의적 시각을 가졌던 철학자 쇼펜하우어는 인간관계를 고슴도치의 예를 들어 설명한다.

> 추운 겨울날, 고슴도치 한 쌍이 어찌나 추운지 서로의 몸을 붙여서라도 몸을 따스하게 하려 하였다. 그러나 이렇게 해도 저렇게 해도 가시 때문에 어떻게 해볼 도리가 없었다. 그들은 하는 수 없이 서로 떨어져 매서운 추위를 견뎌야만 했다.[10]

우리의 인간관계도 그와 비슷하다. 멀리 떨어져 있으면 쓸쓸하고, 가까이 가면 상처를 받는 관계.

친하다는 표현을 많이 쓰는 사람들이 있다. 이들은 자기가 아는 사람을 타인에게 소개할

---

10. 박상훈, 「예수, 예수의 사람들」(서울 : 크리폼, 1994), p.74.

때 그 사람이 자기와 얼마나 친한 사이인지를 강조한다. 이렇게 친한 것을 강조하는 이들치고 상처를 입지 않은 이가 없다. 앞서 얘기했지만 친밀함은 곧 상처가 자라나는 온상이다. 이러한 사람들은 천도무친(天道無親)이라는 말을 기억할 필요가 있다. '진리를 추구하는 삶은 가까움과 친밀함을 바라지 않는다.'

우리는 외로움과 고독을 구분하여야 한다. 외롭다는 것과 고독하다는 것은 엄격히 다르다. 외롭다는 것은 사람을 아쉬워한다는 것이요, 고독하다는 것은 사람을 아쉬워하기보다 홀로 있기를 원한다는 것이다.[11] 고독이란 자신을 위한 공간, 성장하기 위해 필요한 공간이다.

왜 주님께서는 자주 외딴 곳으로 물러나 기도하셨는가? 왜 많은 교부들이 사막에서 구도의 삶을 살았는가? 왜 많은 성직자, 수도자들이 일 년에 한 번은 한 주일 동안 대침묵 속에

11. 드 멜로, 앞의 책.

서 피정하는가? 이들이 고독을 일부러 택하는 것은 그것이 자기 반성과 자기 성장의 시간을 마련해 주기 때문이다. 우리 영혼은 사람들로부터 격리되어 홀로 있으면 있는 만큼 창조주 하느님과 구세주께 더 가까이 나아가게 된다.

지금까지 다른 사람의 인정과 애정이 없이는 살아갈 수 없다는 환상을 깨자고 말하였다. 이제 한 걸음 더 나아가 인정과 애정 자체를 아예 요구하지 말자고 얘기하고 싶다. 우리는 다른 사람에게 나를 인정해 달라고, 사랑해 달라고 요구할 권리가 없다. 짝사랑에 빠지는 것은 내 자유이지만 상대방에게 나를 사랑해 달라고 요구할 수는 없는 것이다. 인정과 사랑은 요구해서 얻어지는 것이 아니다. 상대가 주면 받을 뿐이다. 우리는 왜 남이 주었다 말았다 하는 것들을 향해 애달아하는가? 다른 사람의 인정과 사랑을 갈구하며 사는 것은 어디에도 걸림이 없이 살아가는 자유인에게는 맞지 않는다.

넷째, 사소한 상처 때문에 더이상 고통스럽지 않으려면 지금 당장 당신 안에 있는 상처의 텃밭을 제거하라.[12]

'나는 완벽해야 한다.' '나는 절대로 실패해서는 안 된다.' '내 사전에 2등은 있을 수 없다.' 등의 태도는 모두 상처를 낳는 텃밭이다. '상처를 낳는 텃밭'이란 이미 우리 안에 상처받을 소지를 갖고 있다는 것이다.

어떤 사람이 자기는 늘 명강의를 해서 청중을 감동시켜야 한다고 생각한다면 그 사람은 엄청난 상처의 텃밭을 갖고 다니는 것이다. 어떻게 매번 모든 사람을 감동시킬 수 있다는 말인가? 신도 아닌 인간이. 아니 신이라 하더라도 그렇게 할 수는 없을 것이다. 우리의 주님도 나자렛 회당에서 말 한번 잘못해 매맞아 죽을 뻔한 적도 있지 않았던가! 주님께서 그랬다면 하물며 누가 매번 명강의, 명강론을 할 수

12. '상처의 텃밭'이란 표현과 이론은 채준호 신부의 심리치료 이론에서 나온다.

있다는 말인가. 누가 강론을 하든 듣는 사람들은 다 자기 처지와 문제 안에서 자기 나름대로 듣고 받아들이는 것이다. 또 아무리 좋은 말이라 해도 전혀 감동이 없을 수 있는 법인데, 별 얘기도 아닌 것을 하면서도 '나는 언제나 좋은 강론, 훌륭한 강의를 해야 한다.'는 강박관념을 가지고 있다면 그는 상처의 텃밭을 안고 다니는 것이다. 강론 때마다 상처를 입겠다는 것이다.

드 멜로 신부는 "반대자들의 갖은 비방이나 공격보다도 옹호자들의 열광 때문에 진리가 더 큰 몸살을 앓는다."고 하였다.[13] 이 말은 순전히 '나는 명강론가여야 한다.'는 상처의 텃밭을 갖고 다니는 사람이 명성에 연연하면서 진리를 왜곡시킴을 가리키는 말이다.

상처의 텃밭은 여러 가지가 있고, 개인마다 그 모습이 다를 수 있다. 그러나 보편적으로

---

13. 드 멜로, 「일분 헛소리」(왜관 : 분도출판사, 1994), p. 230.

우리 모두가 가지고 있는 상처의 텃밭은 '나는 인정받아야 한다.', '나는 사랑받아야 한다.'라는 기대일 것이다. 이런 사람을 주위에서 아무도 인정해 주지 않고 사랑해 주지 않는다면 그 사람이 받을 상처가 얼마나 클지 짐작할 수 있을 것이다. 그리고 그를 인정해 주지 않고 사랑해 주지 않는 사람들은 다 나쁜 놈, 못된 놈이 될 것이다.

심리학자들은, 우리가 속한 모임에 10명이 있다면 그 중 6명은 무조건 우리를 싫어할 것이라고 말한다. 이유가 없이 무조건 나를 거부하고 적대시한다는 것이다. '이유가 없이 무조건'이라고는 하지만 사실은 이유가 있다. 곧 무의식의 그림자 때문이다.

우리가 받은 사소한 상처를 보자. 그 바닥에는 상처의 텃밭이 있다. 이 상처의 텃밭 덕분에 우리는 늘 같은 상처를 받으면서 힘겹게 살아간다. 늘 같은 상처를 받는다는 것은 그만큼 우리가 상처에 길들여져 있다는 것이다. 통상 우리가 받는 상처들은 어느 정도 미리 결정되어 있다. 우리가 속상하고 심란해지는 것은 다 외부에 그 원인이 있는 것처럼 보이지만 사실은 외부에 있다기보다 우리 안에 있는 경우가 많다. 외부는 재료만 제공할 뿐이다. 존 포웰은 "어느 누구도 우리 감정의 직접적 원인이 될 수는 없다. 다만 우리의 감정을 건드릴 뿐이다."라고 말한다.[14] 나는 어떤 상황에서 심란하게 반응하는데 다른 사람은 조금도 영향받지 않는다면, 그 심란함의 원인은 외부에서 오는 것이 아님을 드러낸다. 문제의 씨앗이 밖에 있는 것이 아니라 내 안에, 내 상처의 텃밭에 있음을 가리킨다.

다섯째, 사소한 상처를 받지 않으려면 자기 자신을 사랑하고 존중하면서 살아가야 한다. 자기 존중심이 없는 이들은 쉽게 자기 자신을 비하하고 단죄한다. 그리고 스스로를 무가치한 존재, 실패한 존재로 간주해 버려 쉽게 상

14. 존 포웰, 앞의 책, p.153.

처를 받는다.

자기 비하와 자기 단죄는 파괴적이고, 병적이고, 비그리스도교적이다. 헨리 나웬은 그의 저서, 「사랑받는 자의 삶」에서 현대인의 가장 큰 함정은 성공 · 인기 · 힘이 아니라 자기 비하라고 말한다.

"우리 스스로가 가치 없고 사랑받을 수 없는 존재라 믿게 될 때 성공이나 인기나 힘은 쉽게 매력적인 해결책으로 다가올 것이다. 진정한 덫은 자기 비하이다. 자기 비하는 영성생활의 가장 큰 적이다. 그것은 우리가 '사랑받는 자'란 거룩한 목소리를 듣지 못하게 하기 때문이다."[15]

우리 안에 있는 가장 큰 적은 자기 비하이다. 영성가들은 자기 비하를 악마의 운동장이라 부른다. 악마는 여러 가지 무기를 써서 우리의 영혼을 파괴시키려 애를 쓰는데, 그 무기

---

15. Henri J. M. Nouwen, *Life of the Beloved*(New York : Crossroad, 1992), p.21.

들은 인간을 두려워하게 만듦, 분노와 악심을 품게 함, 걱정과 죄책감에 사로잡히게 함, 자기를 비하시키게 만듦 등이다. 이런 것들은 다 강력한 무기들인데 이 중에서도 인간 영혼에 치명타를 주는 가장 강력한 무기는 자기 스스로를 비하하고 단죄하도록 만드는 것이다. 그래서 영성가들은, 악마들은 자기 존경과 자신감이 부족한 영혼들에게 구미를 가장 많이 느낀다고 말한다. 실상 마귀들렸다는 사람들을 보면 자긍심이 없고 자신감이 결여된 사람들이 많다.

친밀한 인간관계 안에서, 특히 부부 중 누군가가 건강한 자기 사랑과 자기 존경을 갖고 있지 않으면 본인이 많은 상처를 받을 뿐만 아니라 부부관계까지 악화되고 만다.

결혼한 사람들, 특히 여성들이 공통적으로 갖는 문제는 건강한 자기 사랑과 존경이 적다는 점이다. 우리 주변에는 자녀와 남편을 위해서 늘 수고하면서도, 자신에게는 조금도 신경을 쓰지 않는 희생적인 여성들이 많다. 우리는 이러한 여성들을 좋은 어머니, 좋은 아내, 곧 듣기 좋은 말로 현모양처라고 불렀다. 그런데 이런 여성들의 마음을 들여다보면 자기 존경, 자기 사랑이 거의 없다. 이러한 여성들은 자기 자신을 위해 어쩌다 시간을 좀 갖거나, 자기가 원하는 것을 충족시키게 되면 뭔가 불안해하고 죄스러움을 느낀다.

가족을 위해 자기를 전혀 돌보지 않는 여성의 희생적 사랑을 받는 자녀와 남편은 과연 건강한 사람들일까? 아닐 것이다. 자기 존중감이 없고 자신에 대해 사랑을 베풀 줄 모르는 여성은 이기적인 아이들과 자기 중심적인 남편을 만들 뿐이다. 그런 어머니, 그런 아내의 희생적인 돌봄을 받는 자녀나 아이들은, 그런 것을 당연한 것으로 여기는, 자기밖에 모르는 이기적인 사람이 되기 쉽다. 한편 시간이 가면서, 자녀들과 남편의 돌봄과 사랑을 체험하지 못한 이런 현모양처형 여성은 이용만 당했다고 생각하기 십상이다.

인간관계 안에서 건강한 자기 사랑이 없다

면 사소한 의견 차이로 큰 싸움이 벌어진다. 부부가 서로 다른 의견, 서로 다른 행동을 하게 될 때 자기 사랑이 결여된 사람은 즉시 부부 사이에 애정이 사라진 것으로 간주해서 상대를 미워하거나, 혹은 자신이 틀렸다고 보아 무조건 상대에게 자신을 맞춘다.

잘 인식되어 있지는 않지만, 자기 존중이 낮은 사람들은 자의식이 강하고 자기 중심적이다. 이것은 곧 자기를 존중할 줄 모르고 다른 이들 중심으로 행동하는 사람들은 실상은 자신을 더 많이 바라보고 의식하고 있기에 자기 중심적이라는 것이다.[16] 이런 사람들은 다른 이들로부터 사랑받고 싶은 바람이 너무나 커서 그 사람들을 기쁘게 하고자 애를 쓴다. 이런 사람들은 자기 자신을 사랑하거나 돌보아주는 데는 익숙하지 않기에 철저히 다른 사람들의 사랑에 의존한다. 이런 사람들은 다른 사

16. 데이비드 A.시맨즈, 「상한 감정의 치유」(서울 : 두란노, 1994), pp. 93-94.

람들로부터 늘 칭찬을 받아야 안심하는 칭찬 중독증에 걸려 있거나, 자기 자신이 옳다는 것을 확인하기 위하여 다른 사람들을 자기 뜻대로 조종한다. 이러한 사람들은 겉으로는 다른 사람을 사랑하는 것 같지만 실제로는 자기 자신이 인정받기 위해서 행동한다.[17]

그리스도교의 가장 큰 계명은 '하느님을 사랑하고, 이웃을 네 자신처럼 사랑하라.'는 것이다. 이 계명 안에는 세 가지 사랑이 담겨 있다. 하느님 사랑 · 자기 사랑 · 이웃 사랑. 이 세 가지 사랑이 하나가 되어 있기에 하나가 없이 다른 것들이 있을 수 없다. 만약 어떤 사람이 하느님을 사랑한다고 하면서 감정적 차원이든 육체적 차원이든 자신을 사랑하지 않는다면, 그 사람은 하느님을 사랑하는 것이 아니다.[18] 또한 이웃을 사랑한다고 하면서 자신을

---

17. Martin H. Padovani, *Healing Wounded Emotions : Overcoming Life's Hurts* (Mystic, CT : Twenty-third, 1993), p.66.
18. 같은 책, p.68.

존중하고 돌볼 줄 모른다면 그 역시 이웃을 사랑한다고 말할 수 없다.

많은 그리스도인들이 하느님의 무조건적인 사랑을 믿는다고 하면서도 아직도 자기 자신에 대한 사랑은 부족하다. 많은 이들이 이런 말을 한다. "하느님이 나를 사랑한다는 것은 믿을 수 있습니다. 하지만 내 자신을 받아들이기가 힘듭니다." 자기 사랑을 거부할 때 우리는 하느님의 목소리를 듣지 못하게 된다. 다음은 어느 영성가가 한 말이다.

나는 하느님의 영으로 가득찬 그리스도교인일 수 있다. 하지만 내 자신을 미워한다면 하느님의 빛은 뒤틀린 나를 통해서 비추어질 수밖에 없다. 나는 내 주변에 있는 사람들을 통하여 나를 볼 수 있다. 그러나 나는 하느님께서 언제나 내게 들려주시려는 위로와 격려의 말씀, 그리고 교정의 말씀을 듣지 않을 수 있다. 내가 타인에게 의존해 있으면 있는 그만큼 그들이 인정해 주기를 바랄 것이며 나아가 그들의 허

락까지 찾을 것이다.

우리가 자신을 사랑하지 못하고 존중하지 않는다면 린네 페이네가 말한 것처럼 하느님께서 언제나 들려주시는 위로와 격려의 말씀, 그리고 교정의 말씀을 들을 수 없다. 이 점을 성서 인물을 통해서 보자.

이스라엘 백성이 이집트를 탈출해 광야를 건너 약속의 땅이 보이는 바란 광야에 도착했을 때 일이다. 가나안 땅을 정탐하고 돌아온 정탐병들이 다음과 같이 보고한다. "우리가 만난 거인들 가운데는 아나킴말고도 다른 거인족이 또 있더라. 우리는 우리 스스로 보기에도 메뚜기 같았지만 그들이 보기에도 그러했을 것이다."(민수 13, 33)

자신을 메뚜기같이 형편없는 존재로 본다는 것은 철저한 자기 비하이다. 이러한 자기 비하는 하느님의 돌보심에 시선을 두지 못하게 만든다.

자신감을 잃어버린 이스라엘 백성은 "차라

리 우리가 이집트 땅에서 죽었더라면 좋았을 것을. 아니 이 광야에서 죽었더라면 더 좋았을 것을. 야훼께서는 어쩌자고 우리를 이리로 데려 내와 칼에 맞아 죽게 하는가?" 하면서 아우성친다(민수 14, 2). 그런데 정탐병 열두 명 중 갈렙과 여호수아만은 자신을 메뚜기같이 형편없는 존재로 보지 않았다. 그들만큼은 하느님의 돌보심에 시선을 둘 수 있었다. 그래서 "그 땅 백성을 두려워하지 맙시다. 야훼께서 우리의 편이니 두려워하지 맙시다."(민수 14, 9)라고 외친다.

이렇게 자긍심을 갖고 살아가는 이들은 하느님의 손길을 본다. 하지만 자기 비하를 하며 살아가는 이들은 하느님의 위로와 격려, 나아가 하느님의 계획을 보지 못한다.

자기 존중심의 결여는 우울증을 일으키는 근본 요소이다. 그리스도교 심리학자인 돕슨 박사는 우울증을 초래하는 원인 열 가지를 나열한 뒤, 비교적 행복하게 살아가고 있는 기혼 여성들에게 우울증에 가장 큰 영향력을 미치는 것부터 순서대로 나열해 보라고 하였다. 그가 열거한 우울증의 열 가지 원인은 다음과 같다. 1. 사랑이 결핍된 결혼생활, 2. 시댁 식구들과의 갈등, 3. 자기 비하감, 4. 자녀들 문제, 5. 경제적 곤란, 6. 고독감·격리감·지루함, 7. 성생활의 문제, 8. 몸의 아픔, 9. 피로감과 시간에 쫓기는 삶, 10. 나이를 먹는 것. 이렇게 열 가지 원인 중에서 가장 많은 사람들이 꼽은 것은 자기 비하감이었다. 비교적 건강하고 행복하게 살아가는 여성들을 우울증에 빠지게 만들고 비참함과 좌절감 속에 살게 하는 것은 무엇보다도 자기 비하였다.[19]

스코트 펙이란 정신과 의사는 직업군인 중에서 성공한 사람들을 뽑아, 그들의 성공한 비결이 무엇인지 조사하였다. 연구조사에 선택된 사람들은 모두 열두 명으로 30대 후반에서 40대 초반의 남녀 군인이었다. 이들은 행복한 가정을 꾸려가고 있었고 부부관계도 좋으며,

19. 데이비드 A. 시맨즈, 앞의 책, pp.66-67.

자녀들은 성적이 뛰어나고 학교생활도 잘하고 있었다. 스코트 펙 박사는 이들에게 '인생에서 가장 중요하다고 여기는 것 세 가지'를 순서대로 적어보라고 하였다. 여기에서 특이한 점 두 가지를 관찰할 수 있었다. 하나는, 이들이 질문을 대하는 진지한 태도였다. 제일 먼저 답안지를 제출한 사람이 무려 40분이 지나서야 제출한 것이다. 또 하나 특이한 점은 열두 명 모두 인생에서 첫번째로 중요한 것으로서 똑같은 답을 한 점이다. 그들의 인생에서 가장 중요한 것은 '사랑'도 아니요, 가족도 아니요, 심지어 하느님도 아니었다. 그것은 바로 '자기 자신'이었다.[20] 이들은 성숙한 자기애를 인생의 가장 중요한 덕목으로 꼽은 것이다. 자기애란 자기 비하의 반대 덕목이다. 자기애란 바로 자기 자신에 대한 인식, 보살피는 마음, 자기 존중, 책임감을 포함한다. 이러한 자기애가 있

20. M. 스코트 펙, 「길을 떠난 영혼은 한 곳에 머물지 않는다」(서울 : 고려원미디어, 1995), pp.100-101.

을 때 남도 제대로 사랑할 수 있다. 이러한 자기애는 자기 중심적인 태도·이기심·자만심과는 다르다.[21]

때로 우리는 자기 자신을 사랑하고 자신에 대한 존경을 높인다고 하면서 이기적으로 행동할 수 있다. 성숙되지 못한 자기 사랑은 이기심과 다를 바 없다. 어떻게 우리는 이기적이 아니면서 올바르게 자기 자신을 사랑할 수 있을까? 주님께서 우리 자신을 사랑하라고 하신 것은 신체와 감성, 영성 사이에 균형을 이루면서 성숙으로 나아가라는 것이었다.

자기 사랑과 이기심의 차이를 단적으로 보여주는 예는 갈릴래아 호수와 사해(死海)이다. 갈릴래아 호수는 요르단강 상류에서 끊임없이 신선한 물을 받아 그 물을 다시 요르단강 하류에 내놓는데, 이 호수 덕분에 많은 물고기들과 싱싱한 야채들이 자랄 수 있다. 한편 사해는 요르단강에서 물을 받아들이지만 다른 데로

21. 같은 책, p.101.

흘러가지 못해 문자 그대로 죽은 바다가 되어 생명체가 살지 못하는 곳이 되었다.

그렇다. 건강한 자기 사랑은 갈릴래아 호수처럼 그 움직임이 안으로 들어갔다가 밖으로 나아간다. 그러나 이기심은 사해처럼 그 움직임이 안으로 들어가서는 그 안에 머물러 말라 버린다. 성숙한 자기 사랑은 생명을 받아서 그 생명을 남과 나누지만, 이기심은 받고 챙기기만 하지 남에게는 일체 내어놓지 않는다.[22]

순수한 자기 사랑은 자신의 안녕과 복지를 위해서 가장 좋은 것을 행한다. 예수께서는 무척 바쁜 공생활을 보내셨지만 당신이 쉬셔야 할 때 쉬셨고, 홀로 있는 시간이 필요할 때는 그렇게 하셨다. 당신 몸의 소리를 들으셨다. 주님은 자신을 위해 다른 이들과 떨어져 있을 필요가 있을 때 그렇게 하셨다.

주님을 본받아서 우리도 다른 사람에게 우리의 사랑을 주기 전에 먼저 우리 자신에게 주

---

22. Martin H. Padovani, 앞의 책, pp.68-69.

어야 한다. 다른 사람이 필요한 것을 헤아리기 전에 먼저 내가 필요로 하는 것을 깊이 헤아려야 할 것이다. 참으로 순수하고 성숙된 자기 사랑은 다른 사람에게 봉사할 수 있는 용기와 힘을 준다. 그러니 우리는 먼저 우리 자신에게 사랑을 주어야 한다. 자기 자신을 사랑하고 돌보는 것이 영적 성장을 위한 첫번째 단계이다. 자신이 좋아하는 일을 하고, 또 하고 있는 그 일에 온 정성을 기울이는 것이 영적 성장을 위한 첫번째 단계이다.

자신을 사랑할 줄 아는 사람은 섬세하게 느낄 줄 알며, 자신의 내적 세계와 교감을 누릴 수 있는 사람이다. 이러한 사람은 외부상황에 지배되지 않고, 왜곡된 죄의식이나 솔직하지 못한 합리화, 자기 변명을 하지 않는다. 순수한 자기 사랑을 살아가는 이들은 업보의 원리를 살아간다. 행위 선택에 있어서 기쁨과 즐거움, 평화의 씨앗을 뿌리면서 살아간다. 아무리 상황이 나쁘다 해도 그 상황에서 최선의 결정을 내리고, 아무리 밀려오는 중압감이 커도 긴

장과 대면하여 서 있을 수 있다. 자기 신뢰와 자신에 대한 믿음이 있기에 다른 이들의 비판이나 비평 앞에서도 인내하면서 일을 처리할 줄 안다.

사소한 상처를 받지 않으려면 자기 목소리를 들으면서 살아가야 한다. 자기 목소리를 듣는다는 것은, 자기 자신을 사랑하고 자기를 존중하기 위해서도 필요하다. 건강하게 살려면 남의 기준에 맞춰 살면서 좋은 사람 소리를 들으려 하지 말고, 자신의 목소리를 들으면서 살아가야 한다. 자기의 느낌, 판단, 자기가 하고 싶은 것에 귀를 기울이면서 살아가야 한다. "아니오."라고 대답해야 할 때에는 과감하게 "아니오."라고 대답하고, "예."라고 대답해야 될 때에는 "예."라고 하면서 살아갈 수 있어야 한다.

우리가 추구하는 가치는 우리 안에 있지 우

---

23. Martin H. Padovani, 앞의 책, p.71.

리 밖의 다른 무엇이나 다른 사람에게 있는 것이 아니다.[23] 그러니 다른 사람의 눈치나 보면서 평화로운 관계를 유지하려는 행위는 그쳐야 한다. 우리 평화의 원천은 다른 이들 안에 있는 것이 아니라 우리 안에 그리고 하느님 아버지 안에 있다.

자기 느낌, 자기 판단을 소중하게 대한다는 것은 주체성을 갖고 산다는 것이다. 자기 주체성을 갖지 못한 이들은 우유부단하고, 거절을 못 하며, 자기 삶을 다른 이의 판단에 의지해서 살아간다. 이러한 사람들은 줏대가 없어 내려야 할 결정이나 판단 앞에서 자신감이 없다. 작은 결정을 내려야 할 때도, 다른 이에게 물어보고 또 물어본다. 그러면서 많은 사람들이 준 서로 다른 의견 때문에 갈팡질팡한다.

주체성이 없는 사람들은 자기가 없고, 자기 목소리가 없기에 "아니오."라는 말을 할 줄 모른다. 관계 안에서 생겨날 갈등이 두려워 거절하지 못하고, 좋은 게 좋은 거란 식으로 타협하면서 산다. 이러한 사람들이 누리는 평화는 참 평화가 아니다. 그러기에 겉으로는 잔잔한 것처럼 보이지만 마음속에서는 우유부단한 자신에 대해 실망하고 분노한다. 이렇게 생겨난 부정적인 감정들이 쌓여서 머리가 아프고, 소화가 안 되고, 구토가 나고, 잠이 오지 않는 등 생리적 현상으로까지 나타나는 것이다.

나 역시 지난 시절 꽤나 착한 사람이라는 소리를 듣고 살았다. 착한 것은 좋은데 착한 것 만큼이나 줏대가 없이 살아왔다. 얼마나 자주 "아니오."라고 해야 할 때 "예."라고 대답하고 나서 자신을 혐오하고 단죄했는지 모른다. 하지만 언제부터인가 자신을 돌보기 시작하면서 내 목소리와 줏대를 갖고 살게 되었다. 이미 말한 대로 자기 자신을 사랑하고 돌보는 것이 영성 성장을 위한 첫번째 단계이다.

그리스도인으로 살아가는 것은 착하게 사는 것이 아니라 자유롭게 살아가는 것이다. 우리가 믿는 종교는 우리에게 자유인이 되라 한다. 앤터니 드 멜로 신부는 "착한 이들을 만들려는 종교는 사람들을 나쁘게 만들지만 자유로움으로 초대하는 종교는 사람들을 착하게 만든다. 그것은 자유로움이 사람을 악마로 만드는 내적 갈등을 다 부수어 버리기 때문이다."[24]라고 말한다. 나는 더이상 착한 사람이 되려고 애쓰지 않는다. 그보다는 주체성을 갖고 자유롭게 살아가려고 애쓴다.

사소한 상처에서 헤어나려면 그림자 투사를 하지 말아야 한다. 그림자란 우리가 의식하기를 거부하면서 무의식 상태에 내버려 둔 우리의 어두운 면이다. 다른 말로 하면, 그림자란 우리 의식이 빛을 향하고 있을 때 그 뒤에 드리워지는 무의식의 어둠이다.

분석심리학에 따르면 관계 안에서 일어나는 모든 갈등은 우리 무의식 안에 있는 그림자가 투사되면서 생긴 것이라고 본다. 본시 그림자는 우리가 보기 싫어서 무의식 속에 가두어 버린 것들인데, 누군가가 이런 것들을 들추어 내

---

24. 드 멜로, 「깨어나십시오」(왜관 : 분도출판사, 1993), p.204.

면 우리는 크게 화를 내고 분노하게 된다.

좀더 쉽게 설명해 보자. 살다 보면 주는 것도 없이 미운 사람이 있다. 그래서 종종 왠지 모르게 그 사람이 싫다라는 말을 한다. 뚜렷한 이유도 없이 그 사람이 싫고, 보기만 해도 화가 나는 것이다. 그 사람만 보면 평소에 내가 의식하지 않고 있던, 어쩌면 애써 외면하고 있던 열등감이 노출되어 성질이 나는 것이다.

우리가 격렬하게 화를 내고 이유도 없이 상대를 죽도록 미워한다면, 그것은 우리 안에 있는 그림자가 투사되어서 그런 것이다. 그러니 어떤 사람이 무슨 짓을 하든 내 마음에 안 들고 짜증나게 한다면 내가 미워하는 것은 그 사람이 아니라 내 안에 있는 그림자가 아닌지 살펴봐야 할 것이다. 또 누가 무슨 말을 할 때마다 지나치게 반응한다면 문제가 되는 것은 상대방의 말이 아니라, 내 안에 있는 그림자를 건드리기 때문은 아닌지 보아야 할 것이다.

내 의식 뒷면의 그림자를 건드리는 사람은 나와 비슷한 사람일 것이다. 내가 어떤 모임에 참석했는데, 그 모임에 유난히 나대고 말을 많이 해 눈길을 끄는 사람이 있어 꼴보기 싫다면 아마도 내가 그런 사람일 것이다. 내가 바로 중심인물이 되려 하고 말을 많이 하는 사람일 것이다. 결국은 내가 못마땅하게 생각하는 그 사람과 나는 서로 비슷한 그림자를 갖고 있는 셈이다. 자석은 같은 극끼리는 서로 붙지 않는다. 플러스극이 플러스극을 만나면 강하게 저항하고 밀쳐내고, 마이너스극과 마이너스극이 만나도 그렇다. 사람들도 마찬가지다. 강한 사람이 강한 사람을 만나면 서로 밀쳐내고, 잘난 사람이 잘난 사람을 만나면 서로 밀쳐내고, 거룩한 사람이 거룩한 사람을 만나면 서로 밀쳐낸다. 덕을 닦겠다고 모인 수도자들이 서로 화목하게 지내지 못하는 것은 서로가 거룩하기 때문이다. 서로 비슷한 그림자를 가진 사람들끼리는 서로에게 위협적 인물로 비친다. 그러니 그림자 투사에 주의하여야 할 것이다.

내가 나로서 행동하지 못하고 우리 안의 그

림자가 주체가 되어서 행동한다면 예민한 반응을 하게 된다. 전체적 자아가 나를 통제하는 것이 아니라 내 안의 그림자가 나를 통제하는 것이다. 내 안의 그림자를 긍정적으로 전환시키려면 그 그림자에 의식의 빛을 비추어야 한다. 그림자를 직면하고 의식할 때 그림자는 더 이상 그림자가 아닌 것이다.

6
감정의 사슬에서 벗어나기 위하여

병명이 무엇인지 모르면 치료할 수 없듯이, 마음의 상처의 치유도 그 상처 속에 자리잡고 있는 부정적 감정부터 먼저 파악하여야 한다. 통상 상처 안에 자리잡고 있는 감정들은 분노·노여움·적개심 같은 강한 감정들이기에 쉽게 감지될 것 같지만 꼭 그렇지도 않다. 실상 강한 감정일수록 보기가 더 어려운 것은, 강한 감정일수록 그 감정에 사로잡혀 있기 때문이다. 내가 감정을 통제하는 것이 아니라 감정이 나를 통제하고 있기에 잘 파악할 수가 없는 것이다.

부정적 감정을 파악하는 것은 쉬운 일이 아

니다. 그 동안 우리는 주로 지성만을 발달시켜 왔고 마음의 소리에는 귀를 기울이지 않았기에 우리 안에 일어나는 부정적 감정들을 파악하는 데 익숙하지 않다. 하루를 살면서 언제부터 우울해했는지, 왜 우울해하는지, 언제부터 무기력에 빠졌는지, 왜 무기력에 빠지게 됐는지 잘 모른다. 상담을 하면서 자주 목격하는 것은, 상담을 하러 온 사람이 자기가 얼마나 힘든지도 모르다가 상담자가 "참 힘드시겠군요."라고 하면 주르륵 눈물을 흘린다는 점이다. 드 멜로 신부는 이렇게 말한다. "많은 사람들이 우울해하면서도 자기가 우울해하고 있다는 사실을 모르다가 뒤늦게 기쁨을 누릴 때야 그 사실을 알게 된다."

사실 우리는 그 동안 감정을 함부로 표현하는 것은 경박하고, 점잖지 못하다는 교육을 받아왔다. 그래서 우리 대다수는 가져야 할 감정과 갖지 말아야 할 감정 목록표를 갖고 다닌다. 그래서 가져서는 안 될 감정이 생기면 즉시 억눌러 버린다. "화를 내지 말아라." "소리를 지르지 말아라." "크게 웃지 말아라." "울면 안 된다." 이러한 감정들은 함부로 드러내면 안 될 목록이다. 이러한 제약 때문에 우리의 감정은 자신도 모르게 무뎌간다. 오랫동안 근육을 사용하지 않으면 퇴화하듯이, 감정도 표현하지 않으면 퇴화한다.[1] 예로서 화나는 감정을 늘 억제하다 보면 나중에는 화가 난다는 것을 느끼는 것조차 불가능해진다.

감정이 퇴화한다는 점은 캄보디아에 위안부로 끌려갔던 훈 할머니를 통해서 알 수 있다. 훈 할머니는 이국땅에서 오직 살아 남기 위해서 자신의 온갖 감정들을 억누르며 살았다. 그러다 보니 슬픔도 외로움도 다 잊어버렸다. 또 살아 남기 위해서 고국과 관련된 모든 것을 잊으려고 애썼다. 그러다 보니 모국어도 잊어버리고, 부모 형제 이름도 잊어버리고, 고향마저도 잊어버렸다.

---

1. 김인자, 「사람의 마음을 여는 열쇠 8가지」(서울 : 사람과 사람, 1997), p.340.

훈 할머니 같은 비정상적 환경이 아닌 한, 우리는 감정을 파묻어 버리고 살아갈 수는 없다. 인간은 머리로만이 아니라 가슴으로 살아가기 때문이다. 감정이란 단순히 심리적 움직임이 아니다. 그것은 인간 실존의 본질이며 삶을 이루는 근본이다.

인간은 누구든지 감정의 사슬에서 풀려나야 한다. 분노 · 두려움 · 슬픔 · 후회의 감정에 젖어 사는 것은 삶에 하등 도움이 되지 않는다. 불쾌한 감정에 젖어 있으면 젖어 있을수록 쌓여가는 것은 원망뿐이요, 망가지는 것은 우리 자신이다. 불쾌한 감정을 누르거나 처리하는 데 에너지가 배로 소모된다. 슬픈 감정을 떨쳐 버리지 못하면 시간이 흐르면서 슬픔의 농도는 더욱 커져 나중에는 우울증으로 발전하게 된다. 감정의 사슬에서 풀려나기 위한 몇 가지 단계를 제시한다.

첫째, 자기 안에 있는 감정을 있는 그대로 보고 받아들이는 일이다. 사소한 감정, 유치한 감정일수록 더 신경을 쓰고 받아들여야 한다. 그리고 불쾌한 감정이 있으면 그것을 억누르지 말고 있는 그대로 인정해야 한다. 잘 알다시피 감정이란 꿈틀거리는 사자와 같아서 억누르면 억누를수록 더 포효하게 된다. 감정이란 억누르면 억누를수록 격해지고 끝내 폭발하고 만다. 감정의 불꽃은 대단한 것이다. 작은 불빛이 방안 전체를 밝히듯이 작은 감정의 불꽃이 내 마음 전체를 지배할 수 있다.

때로 사람들은 자신의 부정적인 감정을 인정하면 영원히 그런 부정적 감정에 지배되는 것은 아닐까 두려워한다. 감정에는 윤리성이 없다. 윤리성을 부여할 수 있는 것은 감정을 표출하는 행동, 나쁜 줄 알면서도 택한 감정적 행동이다.[2] 아무리 부정적인 감정이라 해도 거부하거나 구박하거나 죄스러움으로 끌어가지 않고 인정해 주고, 귀한 손님을 모시듯이 소중하게 다루면 긍정적 힘이 될 수 있다.

---

2. 김인자, 앞의 책, p.215.

때로 감정을 보고 인정하는 것만으로도 치유가 된다. 예를 들어보자.

한번은 드 멜로 신부가 동료 예수회원을 상담하게 되었다. 이 사람은 대학에서 일하는 유능한 사람이었지만 하급 직원들에게는 공포의 대상이었다. 한번은 직원에게 폭행까지 행사해서 형사문제로까지 번질 뻔하였다. 드 멜로 신부는 그에게 "당신은 무엇인가를 내게 감추고 있는 것 같군요."라고 하였다. 그러자 그는 화를 버럭 내면서 방을 나갔다. 그리고 한참 후 돌아와서는 이렇게 고백하였다. "맞아요, 신부님. 저는 숨긴 게 있었어요. 그것은 제 자신에게도 숨기고 있었던 것이지요." 이렇게 말하고 나서 그는 울음을 터뜨렸다. 그가 숨기고 있었던 것은 그가 잊고 싶었던 사실이었다. 그것은 어머니가 파출부로 하루 16시간씩 일하면서 자기를 키웠다는 사실이었다. 그는 이 사실을 아무에게도 말한 적이 없었다. 그러나 그 사실을 말하고 나자 더이상 상담할 필요가 없었다. 그의 상처는 이미 치유되었기 때문이다.

드 멜로 신부에 따르면, 상처를 치유하는 과정에서 중요한 것은 "아하!" 하는 체험이다. 자기 안에 도사린 감정들을 바르게 파악하고 "아하!" 할 수 있을 때 변화가 시작되고 치유가 시작된다는 것이다. 그래서 그는 다음과 같이 말한다. "예배와 찬양에 바쳐지는 그 많은 시간들이 자기 이해에 쓰여진다면 더 풍성한 열매를 맺을 수 있다."고.[3]

우리가 시간을 내어 자기 감정에 귀를 기울인다면 자신을 위한 성장의 발걸음을 이미 내딛은 것이다. 하루를 살면서 자신의 감정을 투명하게 의식하고, 귀를 기울여 줄 때 우리 안에 있는 상처들은 치유되기 시작한다.

둘째, 파악된 감정을 표현하라. 표현하지 않고 쌓아놓은 감정은 훗날 정신질환으로 나타나기 십상이다.

3. 드 멜로, 「깨어나십시오」(왜관 : 분도출판사, 1993), p.198.

'사랑과 추억(Prince of Tides)'이란 영화가 있었다. 감정을 억압하는 것이 얼마나 파괴적인지를 이 영화만큼 잘 보여주는 영화는 없을 것이다. 주인공이 13살 때, 근처 교도소에서 탈옥한 죄수들이 집에 들어와 어머니와 여동생, 그리고 주인공을 성폭행하였다. 이때 밖에서 돌아오던 형이 집안에서 벌어지는 사건을 보고 엽총으로 죄수들을 쏴 죽인다. 그런 뒤 주인공의 가족들은 죄수들의 시체를 묻고, 벽에 묻은 피를 닦아냈다. 이런 일을 하는 도중 주인공의 어머니는 내내 자녀들에게 "아무 일도 없었어. 아무 일도 없었어."라는 말을 반복한다. 그리고 나서 정말 아무 일도 없었던 것처럼 세월이 흘러간다. 하지만 아무 일도 없었던 것이 아니었다. 주인공의 형은 자살을 했고 여동생도 여러 차례 자살을 기도하다가 병원에 입원해 있었고, 주인공은 착한 아내, 건강한 자녀들과 함께 살면서도 가정생활이 원만하지 못하여 이혼 수속을 밟고 있었다. 13살 때 있었던 사건을 없었던 것으로 억누르면서,

부정적 감정의 사슬에서 풀려나오지 못한 주인공과 그 가족들의 비극을 보여준 영화이다.

가끔 우리는 한없이 착하다고 여겼던 사람이 갑자기 불같이 화를 내 당황하는 경우가 있다. 무척 착하고 마음씨 좋아 보이는 사람들이 갑작스레 화를 내는 것은 평소에 그들이 내성적이고 소심해서 자기 안에 있는 불쾌한 감정들을 표현하지 않고 차곡차곡 쌓아놓다가 한꺼번에 터뜨리기 때문이다. 그러니 평소에 전혀 문제가 없는 것처럼 살아가는 이들, 얼굴에 웃음을 띠고 만사가 순조롭다는 듯이 행복한 표정을 지어 보이는 사람들을 대할 때에는 조심하여야 한다. 언제 터질지 모르기 때문이다. 이러한 사람들은 자기 감정을 솔직히 표현하기가 두려워서, 마찰이 일어나는 것이 싫어서 자기의 감정과 욕구를 억누르고 있는 것이다.

부정적 감정을 표현하면 건강에 이롭다. 인간의 부정적 감정들은 하나하나 겉으로 표현하고 나면 그 고통이 한결 가벼워지게 되어 있다. 고통과 원한이 우리 안에서 일어날 때 가장 좋은 방법은 나누는 것이다. 그러한 감정들을 흘려버리는 것이다.

자신의 감정을 표현할 때에는 솔직하여야 한다. 때로 우리는 자기 안의 부정적 감정을 정확히 보고 있으면서도 남에게 표현할 때에는 진짜 감정을 숨기고 다른 감정을 드러낸다. 자신의 삶을 돌이켜 보자. 살아오면서 정말 화가 나는데도 웃은 적은 없었는지? 슬프고 마음이 아픈데도 실없는 농담을 한 적은 없는지? 마음으로는 깊이 후회하고 있으면서 남에게 비난의 화살을 돌린 적은 없는지?

우리가 민감하게 반응하면서 드러내는 감정 표현을 보면 실제의 감정을 보여주기보다는 본심을 감추기 위해서 방어기제를 사용하는 때가 많다. 예를 들면[4] 툭하면 화를 내는 사람이 있는데, 이러한 사람의 진짜 감정은 분노가 아닐 수 있다. 자신의 두려움이나 슬픔, 후회를 드

---

4. 존 그레이, 「화성에서 온 남자, 금성에서 온 여자」(서울 : 친구, 1995), p.296 참조.

러내고 싶지 않아 화를 냄으로써 위장하는 것이다. 잘 우는 사람들도 진짜 감정은 슬픔이 아닐 수 있다. 가슴속은 분노로 끓고 있지만 화를 낼 용기가 없어 대신 눈물로 표현하는 것이다.

그러나 감정 표현이 파괴적이어서는 안 된다. 기분이 언짢거나 실망하고 있거나 화가 났을 때 그것을 품위있게 표현한다는 것은 쉬운 일이 아니다. 감정 표현이 파괴적이라는 것은 야비한 말만 골라서 한다든가, 상대를 비난한다든가 부정적인 감정을 아무 데서나 충동적으로 표현하는 것이다. 감정을 무조건 억누르는 것도 나쁘지만 감정을 아무 데서나 아무렇게나 터뜨리는 것도 나쁘다.

감정 표현이 파괴적인 것이 되지 않으려면 '나 – 전달법'을 쓰면 좋다. 이것은 현실요법에서 주창한 이론인데,[5] 감정을 표현할 때 '너

5. '나 – 전달법'에 대해 더 잘 알려면 김인자, 앞의 책을 보라.

때문에' 란 측면에서 표현하지 않는 것이다. 인간관계에서 문제가 생겼을 때 우리는 그것이 내 탓이 아니라 네 탓이라고 몰아붙이거나 환경 탓으로 돌리기 쉽다. 또 문제가 해결되려면 내가 아닌 상대가 변화해야 한다고 생각하는 경향이 있다.[6] 그래서 탁구공을 주고받는 것과 같은 대화가 되기 쉽다. 남편이 공을 치면 아내가 받아 치고, 아내가 공을 치면 남편이 받아 넘기는 식이다. 둘 사이 관계가 끊임없이 공격과 방어로 이어지면서 '심리적 게임'을 하는 것이다.[7] 심리적 게임이란, 관계에서 묵시적 지불을 하게 되는 상황이 습관적으로 반복해서 생기는 것을 말한다. 심리적 게임의 하나는 상대를 비난하는 것이다. "만약 네가 그러지 않았으면…." 하는 식이다. 심리적 게임은 순환적이고 반복적이다. 심리적 게임을 중

6. 같은 책, p.29.
7. 심리적 게임이란 용어는 정신과 의사 에릭 번이 사용한 말이다.

단하는 방법은 하나밖에 없다. 게임을 그만두는 것이다. 어느 한 사람이 "나는 더이상 이 게임을 하고 싶지 않아." 하면서 일어나면 그 게임은 중단된다.[8]

'너 때문에' 란 표현을 쓰지 않고 우리 안의 부정적 감정을 표현하기 위해서는 '나 – 전달법' 을 쓰면 된다. 예를 들어보자. 친구가 지난번에 약속에 늦더니 이번에도 늦었다고 가정하자. 그때 "야, 너 지난번에도 늦더니 오늘도 늦게 오면 어떡하냐?"라고 했다면 이것은 적절한 감정 표현이 아니다. 그러나 "벌써 두 번째나 기다리게 되니까, 시간도 아깝고, 얼마나 화나는지 몰라."라고 표현한다면 이것은 적절한 감정 표현이다.

효과적인 '나 – 전달법' 이 되기 위해서는 다음 세 가지 요소가 필요하다. (ㄱ) 나를 괴

---

8. 심리적 게임에 대한 에릭 번의 이론은 M. 스코트 펙의 책「길을 떠난 영혼은 한 곳에 머물지 않는다」(서울 : 고려원미디어, 1995), pp.39 – 40에서 인용함.

롭히는 상대의 행동을 비난하지 않고 객관적으로 서술한다. (ㄴ) 상대의 행동이 나에게 미치는 구체적인 영향을 설명한다. (ㄷ) 그 영향으로 인해서 내가 느끼는 감정을 정확히 표현한다.[9] 앞서 언급한 예문을 갖고 분석하면 "벌써 두 번째나 기다리게 되니까"(상대방의 행동), "시간도 아깝고"(나에게 미치는 영향), "얼마나 화가 나는지 몰라."(느끼는 감정)가 된다.

부정적 감정의 표현과 관련해서 특별히 화에 대해서 얘기해 보자. 많은 사람이 생각 외로 화를 제대로 표현하지 못한다. 먼저 친밀한 관계 안에서 화를 표현하지 못하는 것은 만약 내가 화를 내면, 상대가 나를 좋아하지 않거나 사랑하지 않을 것이라는 두려움 때문이다. 우정이나 친밀한 관계가 깨질 것을 두려워하는 것이다. 하지만 화를 제대로 표현할 수 없는 관계라면 그것을 과연 참 우정이라고 할 수 있

9. 김인자, 앞의 책, p.254.

을까? 우리가 친구나 가까운 사람에 대해서 화가 났을 때 그 화를 솔직히 표현할 수 없다면 우리는 아마도 뒤에서 그에 대해 나쁘게 얘기하거나 엉뚱하게 다른 사람에게 화를 낼 것이다. 오늘날 많은 가정과 결혼생활이 폭력보다는 대화 단절의 어려움을 겪고 있다. 문제 가정 중 태반은 폭력이 아닌 침묵에서 관계가 죽어가고 있다. 화를 표현하는 가정에서는 최소한 상대가 무엇을 생각하고 느끼는지는 알 수 있다. 하지만 대화가 끊어진 부부관계에서는 상대의 내면세계를 알 수가 없다. 그러니 관계를 개선할 수도 없다. 입을 닫아버리고 대화를 하지 않는 행위는 화를 억누를 때 보여지는 전형적 행위다.[10]

지금까지는 가까운 사이에서 왜 화를 표현하지 못하는가를 서술하였는데, 이제는 일반

---

10. Martin H. Padovani, *Healing Wounded Emotions : Overcoming Life's Hurts*(Mystic, CT : Twenty-third, 1993), p.30.

적인 인간관계에서 얘기해 보자. 일반적인 관계에서 사람들이 화를 감히 표현하지 못하는 것은 화를 표현하면 갈등이 빚어지고, 갈등은 하느님께서 원하시는 것이 아니라고 보기 때문이다. 그리스도인이 화를 내면 안 된다고 보는 것이다. 그런데 잊지 말아야 할 점은, 갈등이란 인간관계에서 필연적으로 생기는 부산물이란 것이다. 역설적으로 표현하면 갈등은 관계를 맺어 나가는 데 필연적인 것이기에 갈등이 있어야 제대로 된 인간관계라고 볼 수 있는 것이다.

그렇다면 어떻게 해야 하는가? 그것은 예수 그리스도에게서 배울 수 있다. 예수께서는 여러 차례 율법학자들과 바리사이들에게, 그리고 제자들에게 화를 내시었다. 율법학자들과 바리사이들을 향해서는 '사기꾼, 위선자'라고 하면서 화를 표현하였고 그들에게 재앙이 있을 것이라고 선언하였다. 수제자인 베드로를 향해서는 "사탄아 물러가라." 하시면서 화를 내셨다. 예수께서는 참 하느님이시지만 동시에 참 인간으로서, 이 세상에서 사시는 동안 결코 화를 억누르지 않으셨다. 그러니 우리가 화를 낸다는 것은 하느님 뜻에 어긋나는 것이 아니다.

나의 부정적 감정과 내 자신을 동일시하지 말아야 한다. 지금 내가 불같이 화가 난다 해도 그 화가 내 자신은 아니다. 지금 내 안에 짙은 슬픔이 있다 해도, 그 슬픔이 나는 아니다. 어떤 감정이 우리 마음을 차지하고 있을 때 그 감정과 나 자신을 분리하기 위하여 다음과 같은 말을 자주 들려주어야 한다. "화는 나지만 그 화가 내 자신은 아니다." "내가 외로움을 느끼고 있지만 그 외로움이 내 자신은 아니다." "지금 내가 실망하고 있지만 실망이 내 자신은 아니다."

만약 내가 가진 부정적 감정과 내 자신을 동일화시키면 예민하게 반응하게 되고 사태를 객관적으로 풀어가지 못한다. 감정과 자신을 동일시하는 사람은 누군가가 자기를 칭찬해 주면 온 세상을 얻은 듯이 기뻐 날뛰다가, 누군가가 자기를 비판하면 살 가치가 전혀 없는 인간처럼 주눅이 들어버린다.

감정과 자신은 동일한 것이 아니다. 우리의 한 부분에 불과한 부정적 감정 때문에 자기 자신을 형편없는 존재로 만들어서는 안 된다. 내 안에 어두운 감정이 있어도 내 존재 자체가 어두운 것이 아니기에 나를 비하시켜서는 안 된다. 만일 누가 강의를 하였는데 그 강의에 대해 비판하자 두번 다시 강의하지 않겠다고 한다면 그 사람은 강의와 자기 자신을 동일시하는 것이다. 또 정성 들여 음식을 하였는데, 가족들이 맛이 없다고 조금밖에 먹지 않았다고 해서 다시는 음식을 만들지 않겠다고 한다면 그 사람은 음식과 자기 자신을 동일시한 것이다. 마찬가지로 내 안의 부정적 감정 때문에 나의 인격 자체를 평가절하해서는 안 된다.

내 안에 있는 부정적 감정이 내 자신은 아니지만, 그것은 어디까지나 내 안에 있는 것이지 내 밖에 있는 것이 아님을 유념하라. 내가 불쾌한 것이지 다른 사람이 불쾌한 것이 아니다.

만약 이 점을 구분할 줄 모르면 민감하게 반응하게 된다. 쉬운 예를 들어보자.

내가 몹시 화가 나 왔다갔다하다가 책상 모서리에 부딪쳤다고 하자. 이때 책상은 아무 잘못이 없다. 책상은 그냥 그 자리에 있었을 뿐이다. 다만 내가 화가 나서 몸의 균형을 잃어 부딪혔을 뿐이다. 그런데 "이놈의 책상." 어쩌구 하면서 그 책상을 걷어찬다면, 나는 화나는 감정을 밖에까지 확대시키는 것이다. 처음 책상에 부딪쳤을 때 아픈 것은 무릎뿐이었는데 이제는 발마저 아프다.

상처받은 사람은 마치 치통을 앓는 사람처럼 자기만을 생각하는 경향이 있다. 우리가 이가 아플 때 누구를 생각하는가? 이가 아플 때 생각하는 것은 자기 자신뿐이다. 상처받은 사람도 마찬가지다. 자기만을 생각하기에 다른 이와의 관계에서 민감하게 반응하게 된다. 민감하게 반응하다 보면, 또 다른 상처를 받게 된다. 자기 안에 벌어진 상처가 아물기도 전에 또 다른 상처를 받는 것이다. 상처가 계속되다 보니 이제는 누구를 만나든 더이상 다치지 않겠다고 자기를 보호하게 된다. 자신을 보호하기에 급급하다 보니 여유가 없고 상대의 말 한 마디나 행위에 대해 지나치게 예민해진다. 상처의 악순환이다.

우리는 모든 행동에 있어서 예민하게 반응하기보다는 여유있게 선택하여야 한다. 많은 경우 우리의 행위는 자동적으로 그리고 거의 반복적으로 우리를 둘러싼 사람들과 환경에 의해서 좌지우지된다. "보나마나 뻔해!" "아무튼 칠칠맞기는!" "너 옷 입은 게 왜 그렇게 촌스러우니!" "왜 그렇게 얼굴이 망가졌냐?" 등등의 말을 들을 때, 흥분해서 반응하기보다는 여유로운 마음을 갖고 선택된 행동을 하여야 한다. 자유와 해방을 살아가는 최선의 길은 매 행위 때마다 깨어 있으면서 선택된 행위를 하는 것이다. 우리가 반응하게 되면 반응하는 그만큼 우리는 평화를 잃는다. 하지만 반응하지 않고 선택한다면 우리는 상처를 덜 받으면서 지낼 수 있을 것이다.

글을 맺으며

지금까지 우리는 심각한 상처와 사소한 상처가 어떤 것인가를 보면서 심각한 상처를 받았다면 어떻게 용서해야 하는지, 사소한 상처라면 어떻게 해야 상처를 덜 받으며 살아갈 수 있는지를 살펴보았다.

그런데 상처는 인간에게서만 받는 것이 아니라 하느님으로부터도 받으며 산다. 요한복음에 나오는 라자로의 죽음에 대한 이야기는(요한 11,1-44) 우리가 고통스런 시간을 보내고 있을 때 하느님께서 어떤 식으로 우리 인간들에게 상처를 입히시는지를, 상처가 갖는 영적 의미가 무엇인지를 알려준다.[1]

하느님께서는 우리가 바라는 대로가 아니라 당신이 원하시는 대로 행동하신다. 바로 이 점이 우리 인간에게 상처가 되는 것이다. 마르타와 마리아는 오빠가 중병에 들었어도 큰 걱정을 하지 않았다. 그들은 예수님께서 얼마나 많은 병자들을 고쳐주셨는지 잘 알고 있었을 뿐만 아니라 깊은 우정을 나누는 사이였기 때문이다. 마르타와 마리아는 오빠가 아프자 이렇게 생각했을지도 모른다.

'문제 없어. 우리는 예수님하고 친한 사이잖아. 예수님께 사람을 보내어 오빠가 병들었다는 소식만 알리면 돼. 그냥 〈당신께서 사랑하는 이가 병들어 있습니다.〉라고만 얘기하면 될 거야. 예수님이 굳이 여기까지 오실 필요도 없지. 그러면 예수님께서는 〈내가 사랑하는 라자로의 병은 다 나았다!〉라고 할 거고 그러면 오빠는 즉시 나을 거야.'

---

1. Greg Laurie, *The God of the Second Chance : Experiencing Forgiveness*(Dallas : Word, 1997), p.168에서 받았다.

마르타와 마리아는 예수께서 오빠를 고쳐주실 것에 대하여 조금도 의심하지 않았다. 이 점은 그들이 예수님께 사람을 보내어 전하라고 한 말에 잘 나타난다. "당신께서 사랑하는 이가 병들어 있습니다."(요한 11,3) 그들은 간청하는 말도, 고쳐 달라는 말도 하지 않았다. 다만 오빠가 병들어 있다는 사실만을 전했다. 그들 사이에 굳이 고쳐 달라는 말이 필요하지 않다고 느꼈던 것이다. 이들은, 오빠가 아프다는 소식이 주님께 전해지는 순간 병이 나을 것이라고 믿었다. 그러나 라자로에게는 아무 일도 일어나지 않았다. 오히려 병세가 악화되었을 뿐이다. 예수께서는 라자로가 아프다는 소식을 받으시고도 아무 말씀 하지 않으셨고 또 그들에게 오시지도 않았다. 마르타와 마리아는 병이 더 중해진 오빠를 보면서 이제나저제나 예수께서 오시기만을 마음 졸이며 기다렸다. 그리고 조금씩 원망이 싹트기 시작했을 것이다. '도대체 주님은 우리를 사랑하고 있는 것일까?' "당신께서 사랑하는 이가 병들어 있습니다."라고만 해도 즉시 병을 낫게 해주시리라고 생각했는데 이게 뭔가. 결국 예수님은 오지 않았고, 그들의 오빠는 끝내 죽어버렸다.

오빠의 죽음을 앞에 두고 마르타와 마리아의 실망, 절망, 그리고 배반감은 얼마나 컸을까? 그렇다면 예수께서 그들을 사랑한다고 여겼던 것은 착각이었던가? 요한복음 11장 5절을 보면 "예수께서는 마르타와 그 여동생과 라자로를 사랑하고 계셨다."라고 분명히 보고하고 있다. 예수께서는 분명 그들을 사랑하셨다. 하지만 그들에게 상처를 입히셨다. 그들이 원하는 대로 라자로를 치유시키지 않았으며, 끝내는 죽도록 내버려 두셨다.

예수께서는 왜 당신이 사랑하는 이들에게 상처를 주셨을까? 어떻게 마르타와 마리아가 받은 상처를 치유시킬 것인가? 이 질문에 대한 각자의 대답이 이 책의 결론이 될 것이다. 누가 각 사람이 받고 있는 상처에 대해서 결론을 내릴 수 있겠는가? 아무리 심리학적·인간학적 지식을 동원해서 우리가 받은 상처를 설명한다 해도 결국 각자의 상처에 대한 답은 자신만이 갖고 있는 것이다.

마르타와 마리아가 주님께 "주님께서 사랑하시는 이가 앓고 있습니다."(요한 11,3)라고 하였을 때 '사랑하다.'란 그리스어는 '필레오'이다. 한편 "예수는 마르타와 그녀 누이와 라자로를 사랑하였다."(요한 11,5)의 '사랑하다.'의 그리스어는 '아가페'이다. 둘 다 우리말로는 '사랑하다.'이지만 그 뜻은 다르다. 필레오가 형제적 사랑을 가리킨다면, 아가페는 신적인 사랑을 가리킨다. 주님께서 우리에게 주시는 사랑은 아가페이다. 아가페를 가장 쉽게 이해할 수 있는 성서구절은 요한복음 3장 16절에 있다. "하느님께서는 이 세상을 극진히 사랑하셔서 외아들을 보내주셨다."

예수께서 마르타, 마리아, 라자로에게 주신 사랑은 희생적인 사랑이다. 이 사랑은 세상의 사랑과는 다를 수 있다. 이 사랑은 우리 영혼을 돌보아 주는 사랑이다. 때로 아가페의 사랑이 필로스의 사랑에 상처를 입힐 수 있다. 그런데 그러한 상처는 우리 심령을 더욱 정화시켜 주고 맑게 해주는 상처이다.

자문해 보자. 내 기억 가운데 가장 아픈 상처는 무엇인가? 내게 가장 많은 아픔을 준 사람은 누구인가? 가장 원망스러운 사람은 누구인가?

내가 받은 상처에서 일어나기 위해서, 그리고 나에게 상처준 사람들을 용서하기 위하여, 지금까지 배운 내용들이 도움이 되었다면 이제는 실제 삶에 적용하는 훈련을 해야 할 것이다. 자전거를 처음 배우는 사람에게 그 타는 요령을 설명하는 데는 일 분도 안 걸린다. 그러나 그 설명을 이해했다고 해서 즉시 능숙하게 자전거를 탈 수 있는 것은 아니다. 여러 차례 넘어지면서 실수를 거듭한 뒤라야 자전거 타는 법을 체득하게 된다. 체득이란 몸으로 배운다는 의미다.

교육 이론에 따르면, 우리가 무엇인가 새롭게 배운 지식들을 완전히 내 것으로 만들려면,

그 지식의 내용을 2백 번쯤 반복해서 들어야 한다고 한다.[2] 그러니 상처를 딛고 일어나 건강한 삶을 살아가기 위해서는 더 말할 필요가 없을 것이다.

---

2. Greg Laurie, 앞의 책, p.168.

용서를 구하는 기도

예수님, 당신은 저를 사랑하십니다. 제가 제 자신을 사랑하는 것보다 더 저를 사랑하시고, 저보다 더 저의 행복을 원하시니 감사드립니다. 이렇게 저를 사랑하는 당신 앞에서, 특별히 당신 성체 앞에서 주님께 용서할 수 있는 힘을 주시기를 청합니다. 저를 아프게 한 사람들을 용서할 수 있는 힘을 주십시오.

제 가족의 죽음, 갑작스런 죽음들, 질병과 정신적 고통들을 당신에게서 오는 징벌이라 생각했었으니 오늘 제가 당신을 용서하게 하소서. 저는 오늘 당신을 진정으로 용서하고 싶습니다. 당신이 무엇을 잘못했기 때문이 아니라 당신이 제 가정에 슬픔을 주셨다고 생각했기 때문에 당신을 용서하고 싶은 것입니다. 주님, 이제는 자유로워지고 싶습니다.

주님, 저의 죄와 실패와 잘못과 나쁘다고 생각되는 모든 점에 대해 저를 용서할 수 있는 은총을 주소서. 당신의 이름을 함부로 부르고, 당신을 경배하지 않고, 당신에 대한 원망으로 십가가를 내팽개치기까지 한 저를 용서합니다. 부모님을 괴롭히며 방탕하고 간음을 행하고 도둑질하고 거짓말을 한 저의 모든 것을 진실로 용서합니다. 이 순간 주님, 저를 용서하는 은총을 주심에 감사드립니다.

제 어머니를 용서할 수 있는 은혜를 간구합니다. 어머니께서 저를 화나게 하고, 저에게 성질을 낸 것 모두를 용서합니다. 저에게 소리지르고, 제가 하지도 않은 일을 가지고 저를 비난한 것을 용서합니다. 저는 어머니의 편애를 용서하며, 저에게 멍청하고 밉고 어리석으며 못된 자식이라고 하셨던 것을 용서합니다. 저를 원하지도 않았는데 실수로 태어났다고 말했던 것과 원수 같은 자식이라 한 것에 대해서도 용서합니다. 저는 어머니를 용서합니다.

아버지도 용서합니다. 저에게 관심도, 사랑도 주지 않았던 아버지를 용서합니다. 술에 취해 어머니와 다투고 살림살이를 부수고 우리 형제들을 공포에 몰아넣었던 그 행위를 용서합니다. 아버지가 저를 심하게 때린 것과 집을 떠난 것과 어머니와 이혼한 것을 용서합니다. 저는 오늘 진심으로 아버지를 용서합니다.

주님, 제 형제와 자매들도 용서합니다. 저를 거부하고 저에 대해 모함을 하고 화나게 하고 부모님의 사랑을 독차지하려 다툰 것을 용서합니다. 자기 것만을 챙기고 저를 내치고 이해하지 않았던 그들을 용서합니다.

주님, 아내를 용서합니다. 저에 대한 이해가 부족하고 사랑도 없고 관심도 없으며 대화조차 없는 제 아내를 용서합니다. 저를 흠잡고 제 약점을 지적하고 저를 가슴 아프게 한 모든 말과 행동들을 용서합니다.

주님, 제 아이들이 말을 안 듣고 저에 대한 존경과 사랑이 부족한 것도 용서합니다. 또 아이들이 지니고 있는 나쁜 습관과 신앙에 대한 불손함에 대해서도 용서합니다.

주님, 친척들과 형제들을 용서할 수 있도록 도와주십시오. 특히 부모님을 못살게 굴고 가정에 분란을 일으켰던 할아버지와 할머니를 용서할 수 있도록 도와주소서. 또 재산분배 문제로 부모님에게 상처를 준 친척들도 용서할 수 있도록 도와주소서.

주님, 저에 대해서 좋지 않은 소문을 퍼뜨리고 제 삶을 어둡게 만든 교회 공동체의 형제자매들을 용서할 힘도 주소서. 자기가 드러나기 위해 저에 대해 거짓 소문을 내고 다니는 이들을 용서하게 하소서. 저를 도와주기보다는 방해하고 질투하는 이들을 용서하게 하소서.

주님, 저는 성직자와 교회 봉사자들을 용서합니다. 제게 불친절하고 차별대우한 그들의 행위, 그들의 편협한 마음을 용서합니다. 그들의 독선과 말만 앞세우는 위선, 그리고 지나친 권위 의식에 대해서 용서합니다. 저에게 영감을 불어넣어 주지 못한 것, 신앙생활에 대한 의욕을 느끼지 못하게 만든 저들을 용서합니다.

예수님, 특히 저를 가장 괴롭혔던 한 사람을 용서할 은총을 구합니다. 제가 가장 용서하기 힘든 사람, 결코 용서할 수 없다고 생각하는 그 사람을 용서하게 해주소서.

스스로를 용서하지 못하는 죄악으로부터 저를 자유롭게 해주시니 예수님, 당신께 감사드립니다. 당신 성령의 거룩한 빛으로 저를 채워주시고, 제 마음속을 밝게 비추어 주소서. 아멘.

• 지은이
예수회 신부. 로마 성서 대학원에서 교수 자격증(S.S.L.) 취득. The Catholic University of America에서 신약 주석학으로 박사 학위(Ph.D.) 취득. 현재 서강대학교 수도자 대학원에서 신약 과목 강의.

성서와 인간 1
상처와 용서

1998년 5월 20일 1판 1쇄 인쇄
1999년 6월 5일 1판 9쇄 발행

지은이 / 송봉모
펴낸이 / 정문자
펴낸곳 / 바오로딸

142 - 704 서울 강북구 미아 9동 103
등록 / 제7 - 122호 1994. 3. 30.
전화 / 984 - 1611 팩스 / 984 - 3612
대체 / 012237 - 31 - 0525642
지로 / 7520101

취급처 / 중앙보급소
전화 / 984 - 3611 팩스 / 984 - 3612

값 3,500원

email : edit@pauline.or.kr
http : //www.pauline.or.kr
통신판매 : 981 - 1611
ISBN 89 - 331 - 0244 - 2

순교자들의 모록

박 수산나 847-550 8633

전 요세피나 847-673-0891